SÉLECTION
FATALE

Chantal
BEAUREGARD

SÉLECTION
FATALE

ÉDITIONS
LA SEMAINE

Une société de Québecor Média

LES ÉDITIONS LA SEMAINE
Charron Éditeur inc.
Une société de Québecor Média
1055, boul. René-Lévesque Est, bureau 205
Montréal (Québec) H2L 4S5

Directrice des éditions : Annie Tonneau
Coordonnateur aux éditions : Jean-François Gosselin

Maquette de la couverture : Echo International
Photo de l'auteure : Geneviève Goyette
Réviseures-correctrices : Nathalie Ferraris, Marie Théorêt, Audrey Faille
Infographie : Claude Bergeron

Toute ressemblance avec des personnes réelles ou des événements ayant déjà eu lieu est purement fortuite.

L'éditeur bénéficie du soutien de la Société de développement des entreprises culturelles du Québec (SODEC) pour son programme d'édition.

Nous reconnaissons l'aide financière du gouvernement du Canada par l'entremise du Fonds du livre du Canada pour nos activités d'édition.

REMERCIEMENTS
Gouvernement du Québec (Québec) — Programme de crédit d'impôt pour l'édition de livres — Gestion SODEC

© Charron Éditeur inc.
Dépôt légal : deuxième trimestre 2015
Bibliothèque et Archives nationales du Québec
Bibliothèque et Archives Canada

ISBN : 978-2-89703-284-5

Ce roman est dédié à la mémoire
de mes parents. Leur amour inconditionnel
et leurs encouragements soutenus m'ont
permis d'aller au bout de mes rêves.

Chapitre 1

Sushi VIP

Pour sa dernière soirée à New York, le Dr Jonathan Raza voulait profiter au maximum de la plus grande ville américaine où l'on peut se procurer presque tout, à toute heure du jour et de la nuit. Seules conditions *sine qua non* : allonger chaque fois des billets verts et connaître les bonnes personnes, les bonnes adresses, les bons filons. Et des billets de banque, le quinquagénaire en avait plein les poches, du vert bleuté au plus foncé !

Sa situation financière était des plus enviables, grâce à l'achat quelques années plus tôt d'une clinique d'imagerie médicale, à Montréal. En somme, le meilleur coup de sa carrière. Le Dr Raza jouissait d'une grande prospérité jalousée par d'autres investisseurs, moins habiles à tirer profit des nouveaux marchés dans le domaine de la santé. Ses journées étaient bien remplies dans son entreprise. Sa clientèle, principalement issue de la bourgeoisie, réclamait souvent sa discrétion et c'était là sa bonne fortune. Il pouvait donc s'offrir ce dont il avait envie, au moment où il le désirait.

Bien sûr, il boirait du champagne, fêterait en grande pompe tout au long de la nuit et s'accorderait quelques doux plaisirs dans la *Big Apple*! Il y était d'ailleurs venu pour ça: prendre du bon temps. Il lui arrivait parfois de se dire: «On ne vit qu'une seule fois, aussi bien y aller à fond! Au diable les limites!»

Il sortit du Mandarin Oriental Hotel, vêtu d'un veston croisé d'un grand couturier, d'une chemise cintrée et d'un pantalon en toile de couleur taupe. Malgré la chaleur de juin, il portait des manches longues pour dissimuler son vitiligo. Élancé et de fière allure, il projetait une image de dandy narcissique et était conscient de l'effet de son grand prestige social sur les autres.

En voyant le Dr Raza, le portier appela d'un geste de la main la limousine garée près de l'hôtel. Il l'avait louée pour toute la durée du séjour du visiteur. Jonathan Raza regarda l'employé attentionné, l'œil perçant, par-dessus la monture d'écaille de ses lunettes de soleil qui cachait une petite bosse, son seul défaut apparent sur l'arête de son nez. Le portier souriant et empressé fut satisfait du pourboire qu'il reçut.

Jonathan Raza, bel homme distingué à la peau cuivrée, à l'abondante chevelure poivre et sel, et aux manières

raffinées, affichait avec superbe l'élégance convention-
nelle de son milieu. Un milieu où il fallait toujours bien
paraître. D'un air faussement détaché, il monta dans la
voiture de luxe noire aux vitres teintées et indiqua au
chauffeur l'adresse de sa destination sur un ton condes-
cendant. Le chauffeur connaissait bien l'itinéraire qu'il
devait emprunter à partir de Columbus Circle. Il rejoignit
l'autoroute West Side 9A, évitant les quartiers minables,
les feux de circulation et un énorme bouchon signalé sur
son téléphone cellulaire.

À son arrivée au Shima, un établissement trois étoiles
répertorié dans les guides touristiques du monde entier,
Jonathan Raza salua d'un rapide et furtif signe de la tête
le petit Japonais trapu au ventre rond qui l'attendait
dans le hall du restaurant. Ils se reconnaissaient, depuis
le temps, mais ne se permettaient aucune familiarité. Le
cérémonial était réglé tel une partition de musique. Chacun tenait son rôle sur la base de strictes relations d'affaires, avec le devoir d'être impeccable, peu importe les
circonstances.

Le directeur du restaurant accompagna son client
jusqu'au salon qu'il lui avait réservé, tout en tenant une
conversation de circonstance. Une conversation anodine,
dépourvue de propos personnels, où régnait une politesse
exagérée. Le Japonais au regard fuyant ne savait presque
rien de Jonathan Raza, à part qu'il payait toujours rubis
sur l'ongle. *Business as usual!* Cette soirée Sushi VIP avait

été acquittée d'avance. Inutile de parler d'argent et d'introduire des considérations aussi vulgaires. L'expérience sensorielle du docteur serait inoubliable dans ce haut lieu de la gastronomie japonaise.

Après avoir circulé dans l'aile privée de l'établissement d'où émanait un silence quasi monacal, le directeur s'arrêta devant une porte coulissante en lattes de chêne horizontales. Il l'ouvrit d'un lent mouvement de droite à gauche, et souhaita bonne soirée à son invité qui se tenait à ses côtés. Toujours aussi classe, Jonathan Raza lui glissa discrètement dans la main quelques billets de cinquante dollars. Le Japonais s'éloigna à pas feutrés et rangea l'argent dans la poche intérieure de sa veste. Les billets s'entassèrent pêle-mêle avec d'autres et finiraient par constituer une épaisse liasse à l'abri de la fiscalité. Un service professionnel de cette qualité devait être récompensé à sa juste valeur, surtout au royaume de l'*American Dream*!

Seul sur le seuil du salon à l'esthétique minimaliste, Jonathan Raza resta immobile et contemplatif pendant plusieurs secondes. Le temps se figea devant cette peinture idéale de la perfection. Il éprouvait la sensation simple et entière d'un état de grâce. En fin connaisseur, il aimait la vue d'ensemble qui se présentait à lui dans un demi-jour mystérieux. Chaque petit détail respectait ses vœux les plus chers. La jeune fille nue était étendue sur le dos, sur un futon déposé à même le tatami. Sa poitrine se soulevait au rythme de sa respiration ample et régulière. Son visage immobile et inexpressif était maquillé comme celui d'une geisha, fardé de blanc et la bouche entièrement rouge. Ses cheveux noirs étaient coiffés d'un chignon traditionnel japonais.

Quand Jonathan Raza lui demanda comment elle s'appelait, elle ouvrit les yeux, dont le contour était tracé de khôl. Sans se tourner vers son interlocuteur, elle répondit : « Akina », ce qui signifie « brillante ». Le corps magnifique de la Japonaise, d'une blancheur incandescente, contrastait avec le noir des algues des sushis et la chair rosée des sashimis au saumon cru. Ces mets étaient parfaitement alignés sur son ventre plat, telle une création artistique. Sur ses deux mamelons, de petites boules de wasabi pointaient vers le plafond suspendu tapissé de papier de riz artisanal.

Ce chef-d'œuvre de mise en scène, d'une beauté sublime, excitait le médecin autant que la première fois qu'il l'avait savourée des yeux, en spectateur ébloui à Tokyo. Avec le temps, bien sûr, il avait dépassé le simple stade de l'observation.

— Vous pouvez vous détendre, murmura Akina d'une voix suave et vibrante.

L'homme retira ses mocassins Gucci et les abandonna dans l'étroit corridor extérieur. Il pénétra au fond de la petite salle silencieuse aux murs épurés. Une belle femme habillée d'une robe longue traditionnelle à motifs floraux, ornée de jolies broderies blanches sur fond rouge, sortit d'un passage en trompe-l'œil contigu à une pièce adjacente. Elle s'empressa d'aller refermer la porte coulissante. Puis elle aida l'homme à se dévêtir, déposa ses vêtements sur une ottomane recouverte d'un tissu précieux et lui tendit un kimono en soie légère d'un beau bleu indigo qu'il revêtit de gaîté de cœur.

Elle frotta une allumette en bois sur une pochette à l'effigie du personnage emblématique du Shima et éclaira la pièce de jolies lueurs de bougies délicieusement parfumées au santal. L'hôtesse servit ensuite à son client du champagne demi-sec dans une flûte ouvragée avec finesse et remit la bouteille millésimée dans un seau à glace. Elle se retira sans bruit, laissant son hôte seul avec la jeune vierge immaculée.

* * * * *

Après avoir passé des heures à dormir à poings fermés dans sa vaste suite qui inspirait le confort et le luxe, Jonathan Raza commanda un déjeuner, en après-midi. Il descendit ensuite dans le hall de l'hôtel muni d'une petite valise à roulettes, régla sa note avec sa carte de crédit et monta dans la limousine qui fila vers l'aéroport international de LaGuardia.

De retour vers 17 heures dans la métropole montréalaise par un vol d'avion rapide, mais accusant un retard imputable à des difficultés mécaniques, le médecin sauta dans sa Porsche 911 garée dans le stationnement de l'aéroport. Il parcourut le chemin jusqu'à sa clinique de l'avenue des Patriotes, fermée à cette heure, en écoutant de la musique classique. Il devait aller y chercher un bracelet à breloques en or pour l'offrir le soir même à sa maîtresse, qui n'était nulle autre que sa secrétaire, à l'occasion de son anniversaire. Il avait obtenu le bijou pour presque rien d'un joaillier-orfèvre dont l'épouse avait eu recours à ses services à quelques reprises durant l'année. Le médecin savait tirer profit de sa clientèle sans cesse grandissante et des demandes de ses patients parfois contraires aux règles de conduite de sa profession. On exigeait de lui un silence absolu. Il obtenait en retour d'incalculables avantages.

Jonathan Raza désarma le système d'alarme, monta l'escalier intérieur en colimaçon et se rendit à son cabinet de travail où il ouvrit une armoire. Il en sortit une boîte-cadeau qu'il glissa dans une poche de sa veste.

Souhaitant avoir une idée de son horaire du lendemain, il se dirigea ensuite vers la réception pour consulter l'agenda papier de ses rendez-vous. Sa secrétaire oubliait souvent d'entrer toutes les tâches du jour à l'ordinateur. Elle était un peu distraite, mais elle se rattrapait au lit et n'exigeait rien de lui en retour. Ni engagement à long terme ni questionnement sur sa vie personnelle. Un petit présent offert de temps en temps suffisait à la satisfaire et à lui clouer le bec pour des mois. En plein le genre de relation qu'il aimait.

Assis sur la chaise pivotante derrière le long comptoir en granit bleuté, il planifiait sa prochaine journée de travail : consultations individuelles et examens de routine étaient au menu. Tout à coup, les avertisseurs de fumée, au timbre sonore aussi énervant que strident, se déclenchèrent. La pièce se remplit bientôt d'une épaisse fumée qui semblait provenir du sous-sol. Jonathan Raza resta figé un instant.

Il entendit par la suite une explosion qui fit trembler le rez-de-chaussée. Déstabilisé, il se leva en toussant pour aller voir ce qui se passait à l'étage inférieur. En apercevant des flammes dans la cage d'escalier, il rebroussa chemin, insécurisé par la possible instabilité du plancher. Au moment où il chercha du regard une sortie de secours, il eut l'impression de devenir claustrophobe. Il étouffait. Il suffoquait.

Brusquement pris d'une violente nausée, il marcha quelques mètres à pas de tortue, les mains devant sa bouche asséchée. L'odeur et la fumée l'incommodaient au plus haut point.

Ayant réussi à mobiliser ses forces, il ressentit une violente douleur à la poitrine. Cet élancement s'étendit à

14

un bras et monta vers sa mâchoire. Terrassé par la souffrance, il batailla avec le peu d'énergie dont il disposait pour tenir sur ses jambes. Il tituba, paralysé, impuissant à se remettre en mouvement. Ne sachant plus où donner de la tête, il était incapable de dire si c'est la peur incontrôlable qui troublait ses pensées ou la douleur physique qui le clouait en appui près d'une porte et d'une fenêtre. Sa vie ne tenait plus qu'à un fil, il en eut la certitude quand il entendit une seconde explosion. Il reconnaissait tous les symptômes de son horrible supplice. Il sentit de fines gouttelettes d'eau tomber du plafond sur ses mains et son visage meurtri.

Avant de sombrer dans le néant infini, il vit une succession d'images défiler rapidement dans sa tête. Des souvenirs du Japon, au début d'avril. Les cerisiers en fleurs, comme une mer vaporeuse de nuages blancs qui tournent au rose dans le ciel nippon, qu'il contemplait durant le hanami[1]. Des caresses lascives de jeunes femmes dociles, très belles, trop belles pour être vraies.

---

1. Au Japon, pratique qui consiste à admirer les fleurs.

Chapitre 2

Incendie majeur

L'intersection du boulevard Saint-Joseph et de l'avenue des Patriotes avait été secouée, comme ébranlée par la foudre qui tonne et qui frappe. Confusion, odeur de brûlé, tempête de débris. Un long rideau noir orné d'un grand panache de fumée était visible à plusieurs kilomètres à la ronde. Un désastre survenu sans s'annoncer d'aucune manière sur le quartier affichant la plus forte densité de population en ville.

Le souffle de l'explosion avait surpris de nombreux résidants du Plateau-Mont-Royal. Sans parler des promeneurs, des touristes et de toute la faune colorée qui fréquentent Montréal durant les beaux mois de l'été. « Une maison brûle dans notre rue ! » claironna un jeune garçon en quittant les lieux avec sa mère.

Les sirènes des camions de pompiers résonnaient tout autour, suivies bientôt de celles des ambulances. Les véhicules de secours avaient eu du mal à se frayer un chemin dans l'étroite rue pour accéder au lieu du sinistre. Les quelque cinquante pompiers arrivés en premier devant l'immeuble en feu ne tardèrent pas à délimiter un grand périmètre de sécurité à l'aide de banderoles jaunes pour faciliter les interventions d'urgence.

Ils s'activèrent efficacement en suivant une procédure huilée au quart de tour et procédèrent en deux temps, trois mouvements à l'évacuation des résidants des immeubles voisins. Au plus grand soulagement des propriétaires d'un chien, arrivés sur les lieux au pas de course, les pompiers réussirent à sauver leur akita au pelage de nounours, qui jappait très fort dans leur appartement, comme s'il appelait au secours.

L'intervention d'urgence avait occasionné des bouchons de circulation dans ce secteur névralgique de la ville. Des agents de police avaient été dépêchés pour assurer la circulation autour du quadrilatère fermé aux automobilistes. Au cœur de la tourmente, les pompiers combattaient le brasier en affrontant une chaleur suffocante et ne venaient pas facilement à bout des flammes.

Nullement découragée par la canicule de cette chaude journée d'été, une foule frénétique de curieux fourmillait à l'écart de l'agitation, les yeux grands ouverts, le visage ravagé par le triste spectacle. Des voisins hagards, silencieux, étaient en larmes. Des personnes inquiètes, désespérées, se sentaient perdues. Une journaliste, assignée à la couverture de la catastrophe, était en train de faire son premier topo, plus loin, de l'autre côté du boulevard, devant un caméraman blasé. Il voyait tellement de drames. Un fait divers de plus ou de moins ne changeait pas sa routine.

Dans un café achalandé de l'ouest de la ville, sur un grand écran de télévision plasma, les images de l'incendie défilaient en boucle sur une chaîne d'information en continu. Une serveuse qui partageait un appartement avec une colocataire à quelques rues du lieu du sinistre prit la télécommande d'une main et monta le volume de l'appareil tout en continuant de servir bière, vin et autres boissons alcoolisées aux joyeux clients. Elle écoutait d'une oreille attentive la présentatrice de TVQ qui répétait sans cesse les mêmes phrases toutes faites d'avance, avec une petite nouveauté ici et là, comme l'arrivée de pompiers venus prêter main-forte à leurs collègues, à mesure que la situation se dégradait.

Ensuite, la présentatrice conversa avec la journaliste sur place. Au début, sur un ton tragique et presque pompeux, la reporter relata comment les autorités avaient porté secours au voisinage touché par le drame :

« Les rues environnantes grouillent d'uniformes. J'ai vu des employés d'Hydro-Québec tout à l'heure, en train de débrancher les fils électriques de l'immeuble incendié par mesure de prudence. J'ai parlé avec des témoins : ils affirment avoir entendu un sifflement, puis une explosion. Quelque chose de semblable à un éclair aurait zébré le ciel. L'onde de choc a atteint un passant de plein fouet, mais heureusement pour lui, il n'est que légèrement blessé à un bras. On l'a tout de même transporté à l'hôpital. Trois pompiers ont été incommodés par la fumée et ils ont aussi été conduits à l'hôpital par mesure préventive.

Dans le quartier, c'est le branle-bas de combat. La fumée est dense et noire par endroits. Les flammes rapides et éblouissantes ont ravagé toute la bâtisse de trois étages et on a peur qu'elles se propagent ailleurs, dans d'autres immeubles. La structure même du bâtiment est touchée. Les trois étages de la bâtisse, entièrement restaurée, menacent de s'effondrer. Écoutons le chef aux opérations du Service de sécurité incendie de Montréal : « La violence du brasier a rendu son extinction très difficile, c'est pourquoi on a déclenché une deuxième alerte. Les pompiers sont maintenant au moins une centaine à combattre les flammes. On en a pour quelques heures. Ce n'est pas rien, mais toutes les mesures ont été mises en place pour assurer la sécurité de la population. »

Puis suivaient les immanquables témoignages de la part des résidants. La reporter reprit :

« Évidemment, une enquête sera menée pour trouver l'origine du sinistre. L'incendie est-il de nature criminelle ? L'avenir nous le dira, mais pour l'instant, je vous le répète, la désolation et la peur se lisent sur tous les visages. »

De loin, une caméra montrait un technicien en train de photographier une victime inerte reposant à l'extérieur du bâtiment, près d'une aire de stationnement. Deux brancardiers soulevèrent le corps pour le déposer dans un sac et l'évacuer vers la morgue. Il y aurait assurément une autopsie en vue de déterminer la cause du décès. Toute cette information serait consignée avec soin pour être compilée dans le rapport d'enquête.

— S'agit-il d'une mort accidentelle ? avança la présentatrice du bulletin d'information après la diffusion de la dernière scène.

« Difficile à dire, poursuivit la journaliste, puisqu'il est trop tôt pour savoir si l'incendie est d'origine accidentelle ou criminelle. Est-ce que l'incendie a été provoqué par la canicule exceptionnelle des derniers jours ? C'est possible. Est-ce que le corps que nous venons de voir représente la seule victime ? Impossible de l'affirmer, mais nous resterons sur place et dès que nous aurons d'autres renseignements, nous vous les transmettrons. »

La présentatrice du journal remercia la reporter et passa aux nouvelles nationales. Au bulletin suivant, on reprenait essentiellement les mêmes grandes lignes, en formulant les mêmes suppositions.

Désigné responsable de l'enquête par son supérieur immédiat, le sergent-détective Jean-René Dumoulin tenait à s'approprier chaque action menée par les différents intervenants depuis le début de l'incendie. Il devait mettre les bouchées doubles pour connaître les circonstances du drame survenu sur l'avenue des Patriotes. Malheureusement, ce rattrapage nécessaire exigeait qu'il fasse une croix sur son long week-end à la campagne et reporte à une date indéterminée ses vacances à la mer avec sa femme, qui étaient prévues une dizaine de jours plus tard. « C'est Héloïse qui va être déçue. Je ne crois vraiment pas qu'on puisse résoudre l'affaire en si peu de temps, surtout si elle est de nature criminelle », songea Dumoulin, perdu dans ses pensées en regardant au loin par la large fenêtre de son bureau. Il redoutait le moment où il devrait annoncer la mauvaise nouvelle à son épouse.

En bonne directrice d'école secondaire, Héloïse se faisait une joie, année après année, de fêter la fin des classes avec les élèves. Cette période coïncidait avec la Saint-Jean-Baptiste, la fête nationale du Québec. Dans la plus pure tradition familiale, Héloïse Hébert et Jean-René Dumoulin séjournaient dans leur maison patrimoniale située à flanc de montagne dans les Cantons-de-l'Est. Pour Héloïse et sa sœur aînée à l'esprit festif, c'était l'occasion de réunir les neveux et les nièces, et d'admirer la beauté de la nature qui prenait différentes couleurs selon la saison.

« Allons, courage ! Un coup de fil à Héloïse pour lui apprendre la mauvaise nouvelle... » Le sergent-détective pensa en lui-même que leur long week-end n'était que partie remise. Il essayait sans doute de s'en convaincre, car il connaissait trop bien les contraintes de son métier dont il retirait pourtant une grande satisfaction. Enquêteur engagé et homme de parole, il n'aimait pas se défiler devant ses responsabilités familiales à cause de circonstances hors de son contrôle, qui étaient cependant monnaie courante dans l'exercice de ses fonctions.

Héloïse comprenait. Ce n'était pas la première fois qu'elle se retrouvait devant une telle situation. Mais elle aurait tant aimé partager de bons moments avec son mari chéri. Car elle appréciait toujours autant cet homme costaud, doté d'un certain charme, qu'elle avait épousé. Dumoulin faisait un mètre quatre-vingt-cinq, avait les cheveux noirs clairsemés, des lèvres minces, une fossette au menton et un front bombé. Héloïse ne cacha pas toutefois sa profonde déception. Avec les années, elle avait gardé l'habitude de ces désistements de dernière minute, mais cette fois-ci, elle eut de la difficulté à se résigner. À quoi bon festoyer à la campagne sans son compagnon ? Et dire que les vacances en Virginie subiraient probablement le même sort !

Même si Dumoulin voulait déjà s'atteler à la tâche colossale dont il venait d'hériter, il savait trop bien que l'attente ne faisait que commencer. Une bonne partie de son travail se passerait dans l'attente. Attendre des résultats de tests, attendre des confirmations d'emplois du temps ou bien encore attendre un mandat du juge. Forcé de prendre son mal en patience, il se demandait quels événements pouvaient avoir favorisé le passage à l'acte d'une personne dont il faudrait vite découvrir l'identité avant qu'elle ne récidive, si l'incendie était de nature criminelle, bien entendu.

Le sergent-détective n'en était pas à ses premières armes et l'équipe pouvait compter sur son flair incroyable, nourri de sa vaste expérience. Respecté par ses pairs du Service de police de la Ville de Montréal (SPVM) pour sa rigueur et son intégrité, Dumoulin était un bourreau de travail. Au fil des années, il avait pris le temps de se constituer un carnet de noms qui allait du barman de quartier à l'universitaire brillant, en passant par le député de comté et le dirigeant d'entreprise. Toutes ces personnes-ressources pouvaient s'avérer utiles au cours d'enquêtes nécessitant des connaissances particulières.

De plus, Dumoulin avait une grande chance, celle de travailler avec Bertille Defoy, une jeune femme maigrichonne aux longs cheveux bouclés. Elle était loyale, rapide et persévérante. Tous deux possédaient le grade de sergent-détective, mais Dumoulin, davantage habitué aux techniques d'enquête sur le terrain, comptait plus d'années de métier que sa partenaire. Comment les deux D, comme on surnommait le puissant duo, pouvaient-ils être parfaitement efficaces et aussi dépareillés?

Bertille était en vacances aux États-Unis quand l'assistant-directeur Pierre Troilo l'avait appelée en renfort et avait insisté sur l'urgence de son retour. À un moment où plusieurs membres du personnel étaient en vacances, le patron du Service des enquêtes spécialisées comptait sur les talents particuliers de Bertille. Selon lui, elle pouvait contribuer à résoudre une affaire qui risquait de s'avérer peu banale. Troilo avait décidé que Bertille et Dumoulin travailleraient en collaboration avec une équipe d'enquêteurs, plus jeunes et moins solides qu'eux, de la Section des incendies criminels (SIC). La synergie de leurs compétences allait sûrement jouer à l'avantage du Service, encore une fois.

Ce genre d'incendie était particulièrement difficile à résoudre. Les preuves disparaissaient souvent en fumée, sur le lieu même du drame. Après la remise du rapport d'un enquêteur-pompier sur la fouille des décombres laissés par les flammes et les explosions, un doute subsistait quant aux résidus trouvés sur place et amena Dumoulin à croire que l'incendie était de nature criminelle. On ne l'avait pas mis sur le coup pour rien. Investigateur chevronné, il travaillait à l'ancienne, privilégiant un long travail d'investigation et de déduction.

Les enquêteurs de la SIC, tout comme Dumoulin, attendaient impatiemment les résultats des chimistes en incendies du Laboratoire de sciences judiciaires et de médecine légale du Québec, ainsi que le rapport détaillé du pathologiste judiciaire. Le verdict tomba finalement : l'incendie était d'origine criminelle.

* * * * *

Dans un café du centre-ville, un client lisait un journal abandonné sur une table. Résidant du Plateau-Mont-Royal, il se sentait inquiet par cette nouvelle :

L'enquête confiée à la SIC

En raison de la nature des circonstances entourant l'incendie mortel et l'explosion suspecte du 22 juin dernier dans une clinique de l'avenue des Patriotes, à Montréal, l'enquête a été transférée à la Section des incendies criminels du SPVM, qui chapeaute habituellement ce genre d'affaires. Comme le confirme Émile Berthou, porte-parole du SPVM, des traces d'accélérant ont été trouvées sur le lieu de l'incendie par un enquêteur-pompier.

« Des témoins ont entendu un boum! retentissant, a expliqué Émile Berthou. Il y a eu un effondrement des étages là où il y a eu des secousses. Les briques se sont détachées de la façade. Un passant

a dit avoir vu le mur de la façade bouger d'environ vingt centimètres. Les fenêtres du rez-de-chaussée ont été pulvérisées et les portes de l'immeuble, soufflées. » Rencontrée sur les lieux, une voisine habitant en face de l'immeuble incendié nous a raconté avoir senti le plancher de son appartement vibrer. La victime trouvée à l'extérieur de l'immeuble n'a pas encore été identifiée.

* * * * *

Bertille rappliqua tôt le surlendemain, les cheveux en bataille sur ses frêles épaules dénudées, une rescapée de la Côte Est au teint bronzé par l'air du large. La sergente-détective, la jeune trentaine, frappa à la porte du bureau de son coéquipier et lui tendit un café allongé dans un gobelet en carton.

— Ne me dis pas que tu as écourté ton séjour aux États pour mes beaux yeux, blagua Dumoulin d'une voix rauque en s'avançant vers Bertille pour l'embrasser sur les joues, ce qu'il faisait quelques rares fois par année, entre autres à l'occasion du temps des Fêtes.

Cette démonstration inattendue de sentiments surprit Bertille qui n'en fit cependant aucun cas. Derrière son sourire débonnaire se cachait une rare perspicacité. Sans aucune arrière-pensée, elle supposa facilement que son partenaire s'était ennuyé d'elle et que son implication habituelle était appréciée à sa juste mesure.

— C'est seulement un *break*. Je reprendrai mes vacances plus tard, affirma-t-elle en retirant le couvercle de son gobelet et en s'asseyant face à Dumoulin sur une chaise basse toute déglinguée. J'ai compris que je n'avais pas vraiment le choix, dans les circonstances. Le patron du Service des enquêtes spécialisées a su se faire convaincant. Il m'a dit qu'il avait besoin de résultats rapides.

— J'imagine qu'il faut prendre ça comme un compliment, répondit le sergent-détective en goûtant à son café.

— On sait quoi exactement ? questionna Bertille de sa voix chaude et mélodieuse.

— Pas grand-chose pour l'instant. Sauf qu'on va travailler avec la SIC. De jeunes enquêteurs, tout nouveaux dans leur poste. Mais soyons positifs : ils sont plus ouverts d'esprit et plus compréhensifs que les plus âgés. Et ils partagent plus facilement leurs informations.

— Et dans les faits...

— En réalité, on prend une bonne partie de l'enquête, si tu vois ce que je veux dire.

Il lui tendit l'article d'un tabloïd à fort tirage qui avait été publié la veille et lu par tellement de membres du SPVM que les pages étaient écornées. L'affaire faisait déjà un peu de bruit. Des rumeurs circulaient ici et là sur les réseaux sociaux.

— Question d'arrimage des compétences ou un truc du genre! déclara la jeune femme moqueuse, un sourire accroché aux lèvres, en parcourant le texte en diagonale.

— On peut dire ça! On prétend que la victime était un riche médecin, l'unique propriétaire d'une clinique spécialisée. Le monde pourra jaser sur son compte. Il s'agit d'un dénommé Jonathan Raza. Veuf, début de la cinquantaine, père d'une fille expatriée en Floride et d'un fils qui revient d'Europe aujourd'hui.

— Et qu'est-ce que le pathologiste judiciaire nous a appris?

— Il est formel: le cadavre d'une victime parle toujours! Il nous apprend un tas de choses sur les derniers moments de sa vie.

— Tu m'en diras tant! Peux-tu être plus éloquent?

Dumoulin dissimula un sourire narquois. Il s'amusait à taquiner sa partenaire en lui donnant des renseignements au compte-gouttes.

Il regarda sa coéquipière, détendue et reposée. Il n'en revenait pas qu'elle soit revenue si vite de vacances pour être à l'œuvre avec lui dans cette affaire. Elle aussi possédait cet amour d'un métier choisi après mûre réflexion et auquel elle avait déjà beaucoup sacrifié de son temps. Cette femme passionnée d'un mètre soixante, à la silhouette menue et au regard intelligent, véritable personnage de bédé, avait du nerf et de la résilience.

Le sergent-détective lui fit un résumé des conclusions du pathologiste judiciaire tout en consultant le rapport devant lui :

— La victime est morte dans l'incendie. Ses poumons et sa trachée étaient remplis de fumée. Le taux de carboxyhémoglobine dans son sang était anormalement élevé. Son corps était partiellement calciné : sa jambe et son bras, du côté droit, ont été dévorés par les flammes avant qu'il ne soit projeté à l'extérieur de la clinique. Son torse, sa tête et une partie de ses vêtements ont résisté au feu. J'oubliais : l'homme aurait eu un accident cardio-vasculaire.

— Comment l'a-t-on identifié ? voulut savoir Bertille.

— L'une de ses employées nous a fourni le nom de son dentiste et celui de son dermatologue. Il avait un implant dentaire dans un maxillaire. La victime souffrait aussi de vitiligo. Tu sais, les plaques de dépigmentation de la peau ?

— Ouais ! Comme Michael Jackson !

Dumoulin sourit à sa partenaire qui n'en ratait pas une. Bertille avait de l'esprit et un bon sens de la répartie. Il poursuivit :

— D'après la secrétaire de Raza, ce dernier portait toujours des manches longues. Le dermato nous a confirmé qu'il avait des plaques sur les bras, les jambes et au niveau du nombril. Une bonne partie de sa peau est restée intacte, mais il a beaucoup de brûlures au visage et une partie de sa chair brûlée était sanguinolente. Tu regarderas les photos dans le dossier tout à l'heure. Elles sont dans mon classeur noir et dans les fichiers partagés de l'ordinateur.

— Qu'as-tu découvert d'autre ?

— La voiture du médecin était garée devant le bâtiment. Elle a été remorquée à la fourrière. On vient d'obtenir un mandat. Les techniciens en identité judiciaire vont la passer au peigne fin et envoyer des prélèvements au labo. S'ils font des découvertes intéressantes, ils vont nous mettre au parfum. On verra bien.

Traces de tissus humains, fibres de textiles, empreintes digitales, résidus de boue, brindilles de gazon fraîchement coupé, fine couche d'ombre à paupières sur le miroir du passager, tout pouvait mener à la résolution d'une enquête.

Bertille ricana en prenant une gorgée encore brûlante. Elle préférait l'espresso à la plupart des cafés américains, trop dilués et fades à son goût.

— Qu'est-ce qui t'amuse, Bertille ?

— J'avais oublié que tu parles toujours du travail. Tu ne m'as même pas demandé si j'ai aimé le Maine. J'ai tout de même séjourné plus d'une semaine au bord de la mer.

Dumoulin se mordait les doigts, mais il savait que Bertille n'était pas rancunière. Vive et enjouée, elle aimait blaguer avec son coéquipier. Discrète, elle parlait très peu de sa vie personnelle et évitait certains sujets polémiques de l'actualité. Il se demanda tout de même qui avait bien pu voyager avec elle. Elle n'était sans doute pas partie toute seule aux États-Unis. Enquêteur intrigué, il aurait voulu décrypter les secrets de Bertille et connaître les aspects de sa vie dont elle ne parlait jamais. Dumoulin trouverait bien une façon de la faire se dévoiler un jour ou l'autre. C'est ce qu'il se disait depuis longtemps déjà.

* * * * *

Pour leur première réunion avec les enquêteurs de la SIC, en après-midi, les deux D se rendirent aux bureaux de leurs collègues situés à un autre étage, ce qui occasionna d'innombrables va-et-vient dans le quartier général. L'équipe se concerta assez facilement : tout d'abord, ils voulaient mieux connaître les premiers éléments de la mort de la victime ; ensuite, ils essayeraient de comprendre pourquoi Jonathan Raza était passé de médecin à dépouille.

En quelques heures, Dumoulin apprit un certain nombre de faits intéressants. Premièrement, Jonathan Raza possédait une entreprise lucrative des plus enviées. Deuxièmement, il aimait impressionner la galerie avec son physique avantageux et sa fortune. Troisièmement, selon des propos rapportés, il se sentait supérieur à la plupart des gens et avait peu d'amis, pour ne pas dire aucun.

Les membres de l'équipe se répartirent les tâches selon les qualifications et les compétences de chacun. Mathieu Porter, jeune sergent-détective dégourdi, doté d'un esprit terre à terre, et qui avait des affinités avec Dumoulin, fut invité à enquêter auprès des voisins immédiats de la clinique. Porter voulut élargir son périmètre et questionner plus de résidants, peu importe s'ils considéraient avoir quelque chose à dire ou non. Il voulait absolument savoir si quelqu'un avait remarqué des mouvements anormaux aux abords de la clinique, et des allées et venues inhabituelles. Quant à Guillaume Marchand, sergent-détective au sein de la SIC et homme rêveur et plutôt indiscipliné, on lui demanda de rechercher des témoins autour de la résidence de Jonathan Raza.

Bertille et Dumoulin reçurent l'ordre de fouiller minutieusement dans la vie de la victime pour qui le bonheur n'était apparemment que façade. Ils devaient découvrir si une personne en voulait à la victime au point de mettre le feu à sa clinique.

On comptait beaucoup sur les compétences extra-ordinaires de Bertille pour interpréter la communication non verbale d'un suspect en salle d'interrogatoire ou encore celle d'un témoin durant une entrevue. Son sens aigu de l'observation lui permettait de détecter le moindre mensonge en décodant la vaste palette des expressions faciales et la panoplie des gestes et des mouvements du corps, conscients ou inconscients. En outre, Bertille savait adapter ses techniques éprouvées aussi bien aux témoins et aux victimes qu'aux suspects. Par ailleurs très pondérée, elle pouvait considérer une foule d'éléments avant de tirer des conclusions et d'avancer une hypothèse plausible.

Bref, Bertille Defoy savait, la plupart du temps, distinguer le vrai du faux, et ainsi mieux orienter les enquêtes. On disait d'elle qu'elle avait un sixième sens. D'autres parlaient d'une aura particulière et d'une dimension cachée qui entouraient sa vie.

CHAPITRE 3

La collection

Au cours de la même semaine, alors que la matinée était chaude et humide, Dumoulin se rendit sur les lieux du brasier, même si ce n'était pas sa responsabilité, mais celle réservée aux équipes de la SIC. C'était la première fois qu'il travaillait sur pareille affaire. Il avait eu envie d'explorer les environs de la scène de crime, une scène plutôt inhabituelle pour lui.

Le bâtiment avait été rasé par les flammes, le brasier éteint, et une pelle mécanique ramassait les derniers débris. On avait procédé rapidement pour assurer la sécurité du voisinage. Il ne restait presque plus rien. Du moins à l'œil nu. Les spécialistes en scènes d'incendie avaient trouvé des indices qu'ils avaient fait analyser par le Laboratoire de sciences judiciaires et de médecine légale du Québec. Dumoulin attendait d'ailleurs toujours les résultats qui tardaient à venir.

De hautes palissades avaient été érigées autour du site, dans le but d'éviter tout accident aux citoyens du quartier déjà éprouvés. Des maisons voisines, lourdement endommagées par le feu et l'explosion, avaient subi d'importants dégâts matériels. Encore sous le choc, une trentaine de résidants désormais démunis, dont des personnes âgées vulnérables, avaient été évacués et pris en charge par la Croix-Rouge, puisqu'ils ne pouvaient réintégrer leur domicile avant quelques jours.

Le sergent-détective, qui n'aimait rien laisser au hasard, était satisfait de sa visite : il s'était bien imprégné de l'ambiance du lieu. Le bâtiment de trois étages, restauré dans le style d'origine et agrandi pour le rendre plus fonctionnel dans sa vocation de clinique spécialisée, était une perte totale, de même que l'équipement médical à la fine pointe de la technologie qui valait à lui seul une petite fortune. Les dommages seraient sans doute évalués à plusieurs millions de dollars.

Dumoulin se rappela les scènes de l'incendie qu'il avait visionnées la veille. Un passant avait tout filmé sur son téléphone cellulaire avant l'arrivée des pompiers et remis sa vidéo aux autorités policières. On voyait clairement que les flammes avaient pris naissance dans le sous-sol et qu'elles s'étaient très vite propagées aux autres étages de la bâtisse. Le sergent-détective se dit que c'était une chance inouïe qu'il n'y eût pas plus de morts.

De retour au quartier général, Dumoulin lut un rapport de ses collègues de la SIC. Après vérification, aucune personne photographiée derrière les banderoles de sécurité le soir du drame n'était connue de la police pour des délits antérieurs reliés à un incendie. Bref, rien n'attira son attention.

Il prit son dossier avec lui, s'acheta un café dans une machine distributrice à la cafétéria, et fila vers une salle de conférence inoccupée. Il sortit plusieurs clichés d'une enveloppe et les étala devant lui, en deux colonnes symétriques de la même longueur. Il s'interrogea en buvant son espresso allongé : « Que s'est-il réellement passé ? »

Il prit le temps de regarder les photographies de la scène de l'incendie et celles de la victime, assez explicites. Il avait appris qu'un accélérant, du genre cocktail Molotov, avait été lancé à travers une fenêtre du sous-sol, dans une salle à débarras. Il s'était avéré que cette pièce comptait de nombreux produits inflammables laissés tout près d'une chaudière à mazout. De vieux pots de peinture cohabitaient avec une bonbonne de soudure et une autre de propane. Un mélange particulièrement explosif qui pouvait expliquer à lui seul l'ampleur des dommages.

Comme les fenêtres du sous-sol possédaient des barreaux de fer assez rapprochés les uns des autres – Dumoulin les avait vus sur une photo destinée aux assureurs –, il se dit que seule une petite main avait pu passer

dans l'espace réduit. Mais comment l'incendiaire s'y
était-il pris ? Il avait dû rester accroupi près de la fenêtre,
qui donnait sur une ruelle, la fracasser et y jeter une ou
plusieurs petites bouteilles incendiaires. Comment quelqu'un pouvait-il passer inaperçu aussi longtemps dans
un endroit aussi passant ?

À maintes reprises, Dumoulin essaya de reconsti-
tuer ce qui avait pu se produire, développant diverses
probabilités, imaginant des scénarios tous plus extrava-
gants les uns que les autres. Il savait cependant qu'il était
trop tôt pour émettre des hypothèses. L'enquête du voisinage immédiat de la clinique n'avait révélé que des
banalités sans importance, n'amenant rien de fondé.
Tous les commerçants et les résidants avaient affirmé que
le Dr Raza avait l'air hautain et qu'il ne parlait à personne. Les enquêteurs étaient un peu interloqués par les
racontars et les rumeurs dont la clinique faisait l'objet.
Pour l'heure, une seule déclaration devait être scrutée
plus en profondeur, car le témoin oculaire semblait avoir
peur de s'ouvrir aux policiers : une femme d'une trentaine d'années d'origine sud-américaine qui avait marché dans la ruelle peu de temps avant l'incendie.

« Il nous faut des indices, des pistes, du concret, et
au plus vite !, se dit Dumoulin en déplaçant nerveusement les photos sur la grande table en mélamine. On ne
met pas le feu volontairement, sans raison, raisonna-t-il.
Soit on a affaire à un règlement de compte, soit il s'agit

du premier incendie d'un pyromane. Dans les deux cas, on va avoir besoin d'un profil psychologique. »

* * * * *

Bien campé dans son fauteuil, Dumoulin regardait par la fenêtre de son bureau en essayant une fois de plus de se faire une idée de l'auteur de l'incendie. Une femme, peut-être ? Ou un homme ayant de petites mains ? Mais encore ? Le sergent-détective savait que les premiers moments d'une enquête étaient cruciaux et déterminants. Il rongeait son frein. Faute de preuves, que pouvait-il faire d'autre pour l'instant ?

L'après-midi commençait comme à l'habitude. En travaillant à l'ordinateur, Dumoulin buvait son énième café à petites gorgées, après un copieux repas avalé dans un sympathique bistro du quartier où il avait ses habitudes. Il fut interrompu par le son d'un nouveau courriel qui rentrait et contenait une pièce jointe. Souhaitant toujours obtenir de l'information de première main et se rapportant à l'affaire, il parcourut un rapport détaillé à l'écran.

L'examen de l'automobile du Dr Raza par une équipe technique ne révélait pas grand-chose. Du moins, de prime abord. Pouvait-on considérer qu'une pochette d'allumettes d'un restaurant de New York retrouvée dans le coffre à gants, de même qu'un calepin de notes représentaient des indices ? Toutefois, les photographies montrant l'intérieur du calepin en cuir fin intriguèrent Dumoulin. Sur quelques pages consécutives se trouvait une liste d'initiales apposées à côté d'une quinzaine de dates. La dernière inscription remontait au 21 juin, un jour avant le fatidique rendez-vous de Jonathan Raza avec la mort. D'étranges notes manuscrites, presque illisibles, avaient été ajoutées au bas de chaque page. L'encre était différente et de couleurs variées.

Les initiales A.Y. y figuraient, triomphales, en beaux caractères, telles des lettrines enjolivées d'une enluminure. Qu'est-ce qu'elles pouvaient bien signifier ? Sûrement quelque chose d'important et de précieux aux yeux de la victime. Le carnet représentait-il un objet tout à fait accessoire ou un indice lié à l'incendie de la clinique du Dr Raza ?

Dumoulin décida de contacter une spécialiste en analyse d'écriture afin qu'elle lui parle de la personnalité de la victime. Il se dit qu'il vérifierait également si les initiales du carnet correspondaient à celles de proches, de créanciers ou de livraisons illégales de quelque marchandise ou substance illicite. Il commença immédiatement ses recherches et en avisa Bertille.

* * * * *

Le surlendemain, les deux coéquipiers se rendirent à l'appartement du médecin, munis d'un mandat de perquisition. Même si Raza était décédé, ses enfants auraient pu s'opposer à la fouille de la propriété de leur père.

Il faisait chaud dans la voiture de fonction, car la climatisation était en panne. En conduisant vers la Cité du Havre, Bertille décida d'ouvrir les vitres.

— On n'a pas le choix, décréta-t-elle en jetant un coup d'œil à Dumoulin, sinon on va cuire à petit feu. Tu commences déjà à ressembler à un homard du Maine. Sans les pinces, quand même !

— Tu dois connaître ça, toi, les homards ! Tu arrives du bord de la mer. Il n'y a rien de tel qu'un bon homard grillé servi avec une sauce à l'échalote et une bouteille de vin blanc. Je pense au Don David Torrontes, d'Argentine. Je l'ai essayé le week-end dernier. Un excellent rapport qualité-prix. Je te le recommande.

— Toujours aussi fin gourmet !

— Pourquoi pas ? C'est l'un des plaisirs de la vie. Samedi soir prochain, je me promets une super grillade de bœuf et un Saint-Émilion Grand Cru. À savourer lentement, une gorgée à la fois.

— Il n'y a rien de trop beau pour la classe ouvrière ! s'écria Bertille. Tu devrais donner des cours de cuisine ou lancer une émission de télévision, tu sais, comme Eduardo. Tu pourrais faire fortune ! Moi, je m'occuperai des produits dérivés : livres de cuisine, casseroles, bouteilles de vin...

— J'espère que tu dénicheras mieux en fait de vin qu'un assemblage artificiel et imbuvable !

Ils arrivèrent à la demeure du médecin, sur l'avenue Pierre-Dupuy. Bertille gara la voiture près d'une entrée, ne sachant pas s'il s'agissait de l'accès principal au bâtiment. Érigé en 1967, l'année de l'exposition universelle de Montréal, l'ensemble architectural de quelque 350 cubes de ciment gris-beige qui s'arc-boutaient les uns aux autres avait été classé monument historique par le gouvernement du Québec.

— Une chatte aurait de la difficulté à y retrouver ses petits, lança-t-elle à Dumoulin en sortant de la voiture banalisée. Mais c'est original et ça me plaît beaucoup.

Le sergent-détective sonna à l'adresse qu'on leur avait donnée et attendit patiemment. Un homme chauve, grassouillet et de taille moyenne, avec qui les enquêteurs avaient pris rendez-vous, vint leur ouvrir. Dumoulin lui montra son badge et son mandat, comme il se doit, puis le concierge les fit déambuler dans les couloirs semi-ouverts reliant les unités cubiques d'Habitat 67. Il les accompagna jusqu'à l'appartement du médecin. Avec sa vue sur le fleuve Saint-Laurent, cet espace remarquable et unique, bien entretenu et somptueusement rénové, fit rêvasser Dumoulin, lui qui pourtant se contentait ordinairement de ce qu'il avait.

Le vestibule était vaste, frais, climatisé et agréable. Un avantage certain pour les deux enquêteurs qui passeraient un bon moment à la recherche de ce qui leur semblerait inhabituel dans l'appartement. Au moins, ils ne souffriraient pas de la chaleur. Dumoulin ne put s'empêcher de retenir un sifflement en visitant les lieux :

— Ce n'est pas avec notre salaire, à Héloïse et moi, qu'on pourrait s'offrir un tel palace.

— Au moins, tu as un toit sur la tête et tu aimes ton métier, plaisanta Bertille.

— C'est ce que disent les désespérés... Il faut compenser comme on peut, renchérit le sergent-détective.

Jonathan Raza était assurément doté d'un goût très sûr et d'une vaste culture. Et il possédait tout l'argent nécessaire pour faire étalage de son succès.

Les deux enquêteurs se promenèrent tout d'abord dans le salon, les yeux un rien écarquillés, à la recherche d'éléments leur permettant de mieux connaître la victime, ses motivations, ses intérêts, et de signes de changements survenus dans son mode de vie.

— On dirait que le monsieur aimait le Japon, poursuivit Bertille en examinant les œuvres d'art d'un grand raffinement.

Sur un mur, une estampe représentait des bains publics japonais. Des sabres de samouraï, armes d'un lyrisme mystique, ainsi que des vases anciens disposés avec soin ici et là, captaient la lumière du jour. Des objets rares, dignes d'un riche collectionneur passionné par l'art et la culture du pays du Soleil-Levant.

— Il avait les moyens de s'offrir tout ça ! Il faudra faire analyser ses comptes en banque, ses états financiers et son testament, constata Dumoulin.

— Je m'occupe d'obtenir son profil financier à notre retour, s'empressa de répliquer la policière.

À l'évidence, Raza aimait écouter de la musique. Une chaîne haute-fidélité de qualité supérieure occupait une place de choix dans le salon. Des haut-parleurs étaient dissimulés dans chacune des pièces. Une télécommande était également fixée près de chaque porte. Dans l'immense chambre à coucher, un mur était palissé de bibliothèques noires laquées, dans lesquelles étaient rangés un nombre impressionnant de mangas à caractère érotique. Sur l'un des rayonnages, la tranche d'un livre attira l'attention de Bertille.

— Hé! Viens voir ça, cria-t-elle à son partenaire occupé dans la pièce voisine. C'est bien fait, très beau, très esthétique.

S'approchant de Bertille, Dumoulin, l'air désabusé comme si rien ne pouvait le déranger, prit le manga dans ses grandes paluches. Il le feuilleta rapidement de gauche à droite, dans le sens contraire des livres occidentaux. Après un bref moment, il émit un commentaire, un sourire sur les lèvres et un accent de gamin dans la voix:

— Plutôt explicite, à mon avis. On voit que le monsieur était fin connaisseur!

— Ouais. Moi, j'aime les belles choses et toi, le bon vin. Chacun son truc.

Bertille replaça le magnifique bouquin dans la bibliothèque.

— Pourquoi m'enlèves-tu le livre des mains? demanda Dumoulin, apparemment agacé.

— On a d'autres chats à fouetter! Allez, il faut nous secouer les puces!

Bertille se dirigea vers la salle de bains attenante à la chambre. La pièce ne révéla rien d'extraordinaire. Jonathan Raza possédait un bidet de marque Toto et, bien alignées sur des tablettes, une pléiade de figurines japonaises daruma, sans bras, ni jambes, ni yeux. Ces petites boules rouges étaient censées porter bonheur. Selon la coutume, avait pu lire Bertille sur son téléphone cellulaire, on doit dessiner un œil à l'encre noire à la figurine tout en faisant un vœu, puis un deuxième quand il se réalise. Si le souhait ne se concrétise pas, l'objet est destiné à un rituel de destruction par le feu.

Un élément éveilla la curiosité de Bertille. « Tiens, tiens ! murmura-t-elle. Seulement trois poupées de la collection sont toujours aveugles. Elles sont en attente d'un objectif... Qu'est-ce que Raza faisait avec ça ? »

Par ailleurs, elle ne put s'empêcher de constater avec consternation que la superficie de la chambre et de la salle de bains dépassait, à elle seule, celle de son minuscule appartement avec vue sur une rue hyper passante, sans arbre ni parc à proximité, véritable îlot de chaleur urbain qu'elle louait à un prix exorbitant.

Dans le cabinet de travail où la sergente-détective se rendit par la suite, elle fut heureuse de trouver un ordinateur. Elle ouvrit l'appareil et cria ensuite, pour être certaine que Dumoulin l'entende :

— Merde ! L'ordinateur a un mot de passe. Je vais être obligée d'embarquer le disque dur pour voir ce que les techniciens peuvent en tirer.

— Essaie « Japon » ou tout autre mot qui s'y rapporte.

— J'ai déjà essayé, qu'est-ce que tu penses ?

« Super, on nage en plein bonheur », songea-t-elle en sifflotant un air d'une chanteuse populaire.

Continuant leur visite de l'appartement très zen, ils arrivèrent tous les deux dans la salle à manger éclairée d'un lustre de cristal noir et joliment aménagée d'une longue table carrée en pin et de fauteuils écrus au dossier capitonné.

— Hé, hé ! s'exclama Bertille. C'est magnifique ! J'ai raison de me plaindre de mes trois pièces trop exiguës. Je suis faite pour vivre dans des espaces plus étendus et dans le confort. J'ai enfin trouvé mon style !

— Ton style, je veux bien. Il faudra que tu changes d'emploi pour te l'offrir. Ou gravir rapidement les échelons de la hiérarchie, ricana Dumoulin en faisant courir deux doigts de sa main de bas en haut, comme pour imiter quelqu'un qui grimpe un escalier.

— Pas vraiment mon genre, tu le sais bien ! J'ai besoin de liberté.

Bertille s'engagea dans l'étroit passage conduisant à la cuisine. Elle fut estomaquée de trouver l'endroit aussi délabré et d'une propreté douteuse. « Mais c'est une vraie porcherie ! » lança-t-elle sans réfléchir.

Alors que les autres pièces étaient soigneusement aménagées et décorées avec un goût évident pour le luxe, la cuisine était à l'abandon. Un torchon à carreaux était cavalièrement posé sur le robinet poisseux et la machine à espresso était couverte d'éclaboussures, tout comme le reste des appareils électroménagers. Dans un tiroir, la policière dégota un objet qui ressemblait à un livre de recettes. Vérification faite, il s'agissait d'un carnet rempli de dates et d'initiales. « Tiens, il en faisait une collection ! » dit-elle à voix haute.

Dumoulin rejoignit sa coéquipière dans la cuisine mal éclairée et ne put cacher son haut-le-cœur.

— Yark ! J'espère qu'il ne préparait pas ses repas ici. C'est tellement sale et en désordre !

Bertille présenta le carnet à son coéquipier, médusé. Ayant enfilé plus tôt des gants jetables, ils le feuilletèrent ensemble, pendant de longues minutes. Une note sans doute manuscrite par la victime intrigua le sergent-détective : « L'empire du Soleil-Levant joue les éclaireurs et moi, je brille d'un vif éclat par-delà la fatalité de sa voie royale. » Les deux coéquipiers se regardèrent un instant, immobiles, bouche bée.

Ce petit poème rappela à Bertille le rapport qu'elle avait reçu de la spécialiste en analyse d'écriture. Elle résuma à Dumoulin les interprétations contenues dans ce rapport au sujet de la personnalité de la victime.

— Selon la spécialiste, Jonathan Raza avait un sérieux problème de personnalité. Ses notes incompréhensibles, sa calligraphie et la façon dont il couchait ses mots sur papier en disent long sur sa nature. « S'il aime collectionner, comme l'a écrit la spécialiste, on pourrait alors considérer son désir de possession comme une valorisation narcissique. » Je crois que Raza aimait bien collectionner les daruma...

Le caractère trouble et la situation financière enviable du médecin auraient-ils réussi, au fil des ans, à lui créer des ennemis redoutables ? En y réfléchissant en toute objectivité, cela fit sens.

Le Dr Raza contrôlait beaucoup d'aspects de sa vie. Très organisé, il prenait soin des apparences. Il soignait son image, son statut social, son appartement. Mais il laissait sa cuisine en désordre, l'endroit le plus reculé de son appartement.

— Il y a des failles dans cette histoire, dit Dumoulin. Quelque chose nous échappe dans la façon de penser de la victime. Rentrons au quartier général.

La superbe copropriété avait été fouillée de fond en comble, révélant ses charmes... et ses secrets.

* * * * *

Le lendemain, les deux D se retrouvèrent dans un petit café Internet adjacent au quartier général. Attablés, Dumoulin et Bertille planifiaient leurs activités et leurs déplacements avant d'aller en réunion avec deux enquêteurs de la SIC, assignés à l'enquête sur l'homicide. Ils devraient passer au crible fin la famille, les clients, les connaissances et les collègues de Jonathan Raza et établir le lien de chacun avec la victime. Ils découvriraient sans doute qui avait pu lui vouloir du mal et pour quelles raisons.

— En attendant de parler au fils, on pourrait essayer de rencontrer la secrétaire, dit Dumoulin. Je lui ai déjà parlé au téléphone et deux agents lui ont rendu visite. Il semble que Raza devait aller souper chez elle le soir de son décès.

— Bonne idée. Ça nous permettra d'avancer.

S'il avait mieux géré sa carrière, Dumoulin aurait occupé un poste plus élevé. Mais sa dépression, après la mort de sa fille, lui avait causé beaucoup de tort au moment où il avait été pressenti pour obtenir une promotion. Cet échec ne le dérangeait pas outre mesure, pas plus qu'il n'affectait Bertille. Entre eux régnait une relation de confiance et de complicité. Et ils n'auraient voulu la gâcher pour rien au monde.

— Je l'appelle tout de suite, poursuivit Bertille. Je lui dis qu'on veut prendre rendez-vous avec elle dans les meilleurs délais. C'est un personnage central.

La sergente-détective s'exécuta.

Après avoir avalé une bonne quantité de caféine, Dumoulin et Bertille se rendirent à leur réunion avec les membres de la SIC. Les enquêteurs avaient questionné les voisins de la clinique. Ils avaient aussi demandé aux copropriétaires d'Habitat 67 s'ils connaissaient la victime et s'ils étaient déjà allés chez elle. Jusqu'à maintenant, toutes les personnes interrogées avaient été peu loquaces et les témoins, peu nombreux.

Dumoulin sortit de la salle de conférence lorsque son téléphone sonna. C'était madame Lavoine, la secrétaire de Raza. Ils s'entendirent pour se rencontrer chez elle après le dîner.

— Bonne chose, laissa tomber Bertille en apprenant la nouvelle que Dumoulin lui susurra à l'oreille quand il revint prendre place à côté d'elle, autour de la grande table. On a le temps d'aller manger une pizza toute garnie chez Elio. Et j'ai envie d'un soda Brio chinotto bien glacé. J'adore son goût amer si unique.

— Et tu trouves que je suis gourmand ?

Après leur réunion, les deux enquêteurs marchèrent en silence jusqu'à leur voiture de fonction. Bertille démarra lentement et roula à vitesse constante jusqu'à la pizzéria, évitant les nids-de-poule et les passants téméraires, irrespectueux des feux de circulation. « Vieille habitude des Montréalais insouciants », dit-elle tout haut.

Durant le trajet jusqu'au restaurant, elle testa auprès de son partenaire quelques hypothèses de son cru au sujet de l'incendie. Elle était aussi impatiente à l'idée d'interroger ce personnage, Estelle Lavoine ; elle l'intriguait.

Une fois sortis de chez Elio, les deux enquêteurs mirent le cap sur l'appartement de la secrétaire, situé au deuxième étage d'un duplex bien entretenu mais assez quelconque dans le quartier Rosemont. Bertille examina attentivement la femme de constitution délicate et assez bien faite. Sa démarche féline lui donnait une allure raffinée et sauvage à la fois. Elle affichait un profil très racé, des yeux vifs malgré ses paupières bouffies – sans doute à cause des pleurs versés sur ses récents malheurs – et une bouche bien dessinée, pulpeuse, sensuelle et d'un beau vermillon.

Estelle Lavoine était polie et séductrice. Les deux enquêteurs prirent place l'un à côté de l'autre dans le salon, séparés de la secrétaire par une table à café. Elle leur offrit à boire, mais comme ils sortaient tout juste de table, ils refusèrent et passèrent à l'essentiel.

Les deux D constatèrent à regret que leur entretien, même s'il avait été préparé avec soin, ne leur apporterait aucun élément pouvant indiquer une nouvelle piste. C'est que madame Lavoine, habile avec les mots, semblait sur la défensive, telle une vigilante gardienne de but durant un match des étoiles. Quand Dumoulin lui demanda si Jonathan Raza avait des ennemis, elle apporta une réponse catégorique :

— Absolument pas ! réagit-elle en prenant des airs de vierge offensée. C'était un homme d'affaires prospère et un médecin diplômé d'une grande université.

Bertille n'était pas dupe. Estelle Lavoine semblait beaucoup apprécier son patron.

Le sergent-détective enchaîna les autres questions, jusqu'à la dernière sur sa liste. À la fin de l'entretien, la secrétaire ne leur avait pas appris grand-chose et n'était, pour l'instant, d'aucune utilité. La déception se lisait sur le visage des enquêteurs.

CHAPITRE 4

Secret de Polichinelle

Le lendemain matin, Dumoulin se réveilla très tôt et arriva de bonne heure au quartier général. En lisant ses courriels, assis devant son ordinateur, il répondit à un message de routine. Pris de doutes sérieux et enclin à un pessimisme existentiel, il se demanda si cette enquête n'allait pas tout droit dans un cul-de-sac. La raison de son état était fort simple : il s'était levé du mauvais pied, ce qui lui arrivait rarement.

Il se rendit à la cafétéria. L'endroit fourmillait d'employés de divers corps d'emploi à l'air maussade et grognon. Certains, à quelques heures des vacances, rêvaient au bord de la mer ou à un lac. Ils s'imaginaient en train de s'amuser et de prendre du bon temps. Dumoulin partageait leurs rêves en silence. Dire qu'il devait partir en voyage avec Héloïse ! Il ressassait cette idée dans sa tête. Il s'était résigné, mais pas tout à fait calmé. Il s'encouragea comme il le put, en se disant que son tour viendrait et qu'il partirait, comme tout le monde. Il prit son café, le paya, et marcha d'un pas raide en direction de l'ascenseur.

De retour à son bureau, il replongea dans les dossiers de l'enquête. Le fils de la victime, diplômé en droit à l'Université de Montréal, avait formellement reconnu le corps de Jonathan Raza. Il avait délaissé le nom de son père, s'appelant désormais Tristan Denault. Le médecin, si fier de son vivant, n'aurait pas aimé qu'on le voie dans un pareil état, à demi calciné. Il n'aurait certainement pas voulu laisser de lui une image aussi répugnante.

Le Dr Raza avait dirigé une clinique d'imagerie médicale de haute résolution, dont il était l'unique propriétaire. Il offrait divers services et examens effectués dans de courts délais. Il s'était adjoint une équipe hautement qualifiée de professionnels et techniciens en santé. Jusque-là, rien d'étonnant. Mais en y regardant de près, Dumoulin découvrit que la clinique pratiquait aussi la sélection prénatale en fonction du sexe du fœtus.

Quelques minutes plus tard, son café ne l'ayant toujours pas secoué, Dumoulin se leva et se redirigea vers la cafétéria. Dans le corridor, il croisa Bertille qui le pria de l'accompagner pour discuter avec elle.

— C'est moi qui t'invite, insista la sergente-détective.

— OK. Ça tombe bien, je voulais te parler, répondit Dumoulin.

Les deux enquêteurs s'attablèrent et se mirent à discuter.

— Tu as du nouveau? demanda Bertille tout en dégustant son bagel au saumon fumé.

— Je viens de me rendre compte que des patientes allaient à la clinique de Raza pour passer une échographie, souvent sans ordonnance médicale, vers la douzième semaine de leur grossesse dans le but de connaître le sexe du fœtus.

Le visage serein de la sergente-détective passa du blanc au rouge en une fraction de seconde. Elle buvait les paroles de Dumoulin. Elle laissa tomber son bagel dans son assiette et voulut s'assurer qu'elle avait bien compris.

— Tu veux dire que ce type pratiquait des avortements simplement parce que les fœtus n'étaient pas du sexe souhaité par les parents? reprit-elle, choquée par ce qu'elle venait d'entendre.

— C'est en plein ça! Aucun des employés de la clinique, qui ont tous été questionnés par les gars de la SIC, n'a abordé le sujet. Tout le monde gagne bien sa vie dans cette clinique, mais disons qu'il y règne un malaise d'ordre moral. Cette pratique est discutable du point de vue éthique.

— Si ça se trouve, c'est une militante féministe qui a voulu lui faire la peau ! On sait tous que ce sont les fœtus féminins qui sont détruits, les hommes préférant avoir un fils comme héritier.

— C'est peut-être aussi un militant ou une militante pro-vie.

— On devrait empêcher la sélection en fonction du sexe. C'est dégradant pour les femmes et inadmissible ! objecta Bertille. Tu me scies les deux jambes, Dumoulin. Je pensais qu'il n'y avait qu'en Chine ou en Inde qu'on se débarrassait des fœtus féminins. Pas chez nous ! Un pays égalitaire où les femmes jouissent des mêmes droits et libertés que les hommes !

— Tu veux retourner en vacances et oublier toute cette épouvantable histoire ? Je te comprendrais, tu sais.

— Non, j'ai envie de me battre, même si je ne suis pas féministe ! Il a été long, long et pénible le chemin vers la liberté des femmes. Pourtant, quand j'entends des choses comme celles-là, je pense que la discrimination envers les filles commence avant même la naissance... C'est comme si on régressait.

— Au moins, on a une hypothèse, un mobile de crime.

— Ça me coupe l'appétit, trancha-t-elle en repoussant son plateau.

— Tu as raison, Bertille, c'est scandaleux. Mais aujourd'hui, on a un nouveau point de départ. C'est ce qui nous manquait. Si on allait en discuter avec le fils de la victime ? Il nous attend.

— Là, tu parles !

Dumoulin lui remit les clés de leur voiture de fonction. « En avant toutes ! » dit sa coéquipière en se levant.

Bertille apporta son plateau sur le tapis roulant des cuisines et emporta son yogourt à boire qu'elle avalerait durant le trajet. Elle fit signe à Dumoulin de s'activer. Le sergent-détective la suivit calmement, en lui demandant de ralentir sa cadence. Il haussa les épaules pendant qu'elle se dirigeait à la course vers la sortie. Elle fit quelques pas, s'arrêta pour vérifier si son partenaire était à ses côtés, puis appuya sur le bouton de l'ascenseur en direction du rez-de-chaussée.

* * * * *

Plus décidée que jamais, Bertille se sentait d'attaque. Elle voulait en savoir davantage sur l'homme qu'avait été Jonathan Raza et elle comptait bien cuisiner son fils. « Comment peut-on détester les femmes à ce point ? » se demandait-elle.

Contrairement à son habitude, Bertille avait roulé à grande vitesse pour se rendre à destination. Elle avait trouvé une place de stationnement en face de l'adresse inscrite sur son GPS. Elle s'empressa de sortir de l'automobile et de sonner au 2323, rue Les Gaules. Dumoulin la rejoignit au moment où la porte s'ouvrait et que le fils Denault apparaissait sur le seuil.

Dans la vingtaine, les cheveux noirs mi-longs, les yeux légèrement bridés, Tristan Denault était un grand homme élancé. Le genre parfait de l'intellectuel tourmenté. Rien à voir avec l'image sulfureuse que Bertille s'était imaginée de lui. À l'opposé de son défunt père.

En préparant son entrevue, Dumoulin s'était demandé pourquoi le fils de la victime avait changé son nom et adopté celui de sa grand-mère maternelle. Divorcée d'un fiscaliste émérite d'origine vietnamienne, décédé depuis, madame Denault avait élevé seule son petit-fils, après la mort de Lara, la mère de Tristan. L'enfant était encore jeune quand Jonathan Raza l'avait abandonné à son aïeule, une cinéaste non conformiste. Avait-il changé de nom en réaction à son père ou en hommage à sa mamie ?

Tristan habitait toujours dans la somptueuse demeure en pierres de taille et en briques, entourée d'un immense jardin, de sa grand-mère. La vieille dame n'était plus autonome et logeait dans une résidence pour aînés, mais elle avait toute sa tête et pouvait suivre une conversation sans problème. C'est ce qui justifia sa présence quand les enquêteurs rendirent visite à son petit-fils. C'est elle qui avait annoncé par courriel le décès de son père à Tristan et avait réclamé son retour immédiat. Sans doute que le jeune Denault avait eu besoin du soutien inconditionnel de cette femme intelligente et affectueuse pour passer à travers cette épreuve déchirante.

Quand le jeune homme fit pénétrer Dumoulin et Bertille dans le vestibule, il semblait bouger au ralenti dans cette molle atmosphère moite de la fin juin. Dumoulin s'épongea le front avec un mouchoir en tissu qu'il replaça dans la poche de son pantalon. Bertille suivait les deux hommes, trottinant derrière eux tout en s'attachant les cheveux à l'aide d'une pince recouverte de nacre.

La maison était remplie de photos de l'attrayante Marie-Christine Denault quand elle était au sommet de son art. À ce moment-là, elle était ce qu'il convenait d'appeler une très belle femme. Depuis, elle avait épaissi des hanches, ses cheveux avaient blanchi et se faisaient rares, si bien qu'on voyait son cuir chevelu par endroits. Avec l'âge, sa vue avait décliné et elle restait assise la plupart du temps. Elle affichait désormais une silhouette de bonne maman respectable. Cependant, un feu intérieur l'habitait toujours. Ses yeux flétris, mais toujours scrutateurs, étaient fixés sur les deux enquêteurs, comme si son esprit encore alerte analysait sans cesse les données qui lui parvenaient.

Le jeune homme invita les policiers à s'asseoir au salon. Comme englué dans l'humidité de la maison aux murs de pierres, il offrit de leur apporter un verre d'eau fraîche, qu'ils acceptèrent volontiers.

— Cette chaleur est insupportable, articula Dumoulin de peine et de misère, énonçant là une vérité de La Palice.

Madame Denault ne broncha pas en le regardant. Elle semblait particulièrement préoccupée par cette rencontre sollicitée par les services policiers, plutôt empressés, selon elle, de questionner son petit-fils tout juste descendu de l'avion.

— C'était pire encore en Europe, répondit Tristan, tout en se dirigeant vers la cuisine. Tu es d'accord, mamie, l'Italie, c'est plus beau en mai ou en septembre quand il y a moins de touristes et que la température est plus douce. Pas vrai ?

La vieille dame acquiesça, un sourire rempli d'amour et de connivence au bout des lèvres pour son petit-fils, déjà à la cuisine. Les deux policiers soupiraient d'ennui. Bertille regardait ses textos sur son téléphone cellulaire, séparant l'utile du futile. Dumoulin contemplait la fenêtre par laquelle on distinguait la cime des arbres matures et les pignons des maisons d'en face, tout en jetant des regards furtifs à madame Denault, toujours aussi silencieuse.

Tristan revint au salon en tenant un plateau qu'il posa sur une vieille desserte défraîchie. Puis il tendit un verre d'eau aux policiers et prit place à côté de sa grand-mère sur une causeuse en velours gaufré. Si la cinéaste retraitée avait dû tourner la scène dans laquelle elle figurait, elle l'aurait trouvée unique en son genre et inimitable. Quatre personnes en sueur buvant ensemble un verre d'eau dans un salon vétuste et mal éclairé pour parler d'une personne morte dans un incendie criminel en pleine canicule.

La chaleur implacable avait réussi à freiner les ardeurs de Bertille qui semblait moins à cran. Dumoulin prit son temps avant d'attaquer le sujet de front. Il attendait le moment opportun pour poser ses questions. En un instant, il sut qu'il pourrait bien présenter les choses afin de s'assurer de la collaboration de ces deux personnes essentielles à la réussite de l'enquête. Il déposa son verre vide sur la table à café devant lui. Il offrit tout d'abord ses condoléances en regardant Tristan, puis sa grand-mère, et ajouta :

— Vous traversez un moment difficile, j'en conviens, monsieur Denault. Et nous, on débarque ici, ma collègue et moi, malgré le chagrin que vous ressentez.

Le jeune homme ne répondit pas, se contentant de hocher la tête. Dumoulin le regarda avec un calme exagéré. Il sourit à Marie-Christine Denault dont le visage resta de marbre. Bien sûr, Bertille notait sur sa tablette numérique les gestes et les expressions des visages tout autant que les paroles et les silences. Tout pouvait être révélateur.

— Vous savez, nous allons devoir fouiller dans l'entourage de votre père pour savoir qui a pu lui vouloir du mal, continua Dumoulin. En ce qui vous concerne, j'aimerais savoir quel genre de relation vous entreteniez avec lui.

Le jeune homme au regard fuyant semblait timide et nerveux. Il prit une grande gorgée d'eau et commença à s'exprimer en faisant avec les mains des gestes amples et à la hauteur du torse :

— Je ne le voyais plus depuis longtemps. Plus du tout en fait. Et je m'en portais très bien sur le plan mental et émotionnel.

— Que voulez-vous dire ? demanda Bertille.

Après une brève hésitation et un regard insistant de la vieille femme sur son petit-fils, Tristan avoua :

— Dans le fond, c'était un hypocrite de la pire espèce.

Il prit une pause, but une autre gorgée d'eau et poursuivit :

— Mon père n'a jamais été un bon médecin. De nombreux patients ont déposé des plaintes contre lui durant ses premières années de pratique avant qu'il ouvre sa clinique, grâce à l'héritage de ses parents qui vivaient dans l'Ouest canadien.

Il s'interrompit, regarda la vieille femme, comme s'il cherchait son approbation. Il regarda au loin par la fenêtre, les mains serrées l'une contre l'autre. Juste à ce moment, Bertille remarqua le tremblement des jambes du jeune homme.

— C'est quelqu'un qui ne pensait qu'à lui. Un égoïste, un jouisseur, un beau parleur. Il a rendu ma mère très malheureuse. Dommage qu'elle soit décédée sans avoir eu le temps de profiter pleinement de sa liberté. Elle aurait voulu le quitter. Elle n'en a pas eu le temps, ajouta-t-il en frémissant.

La vieille femme semblait abonder dans le même sens. Elle savait que la victime ne s'intéressait qu'aux gains à court terme et aux plaisirs éphémères.

— Je me demande comment il faisait pour marcher la tête haute. J'ai tout fait pour ne pas lui ressembler. J'étudie en droit et en psychologie avec la ferme intention de comprendre les gens et de les aider.

Défenseur de la veuve et de l'orphelin, Tristan semblait en avoir gros sur le cœur. Les deux enquêteurs voulaient en découvrir le plus possible sur la victime. Ils écoutèrent le jeune Denault avec une formidable empathie, comme si la chaleur ne les affectait plus. Quand Tristan reprit la parole, il vida son sac d'une traite, toujours en accompagnant ses propos de gestes amples, rapides et significatifs pour Bertille :

— J'ai été un enfant tyrannisé par mon père. Un élève-ermite accablé par des tests de toutes sortes et d'interminables heures de tutorat à la maison. Vous savez, j'aurais accepté n'importe quoi de lui. Du mépris, de la haine, même si j'espérais de l'amour. Ma mère nous disait qu'il nous aimait, ma sœur Juliette et moi, mais qu'il ne savait pas comment nous le montrer. Elle était l'unique lien qui nous rattachait à lui.

Tristan déglutit avec difficulté avant de poursuivre son récit :

— Quand elle est morte, j'ai tout perdu. Il m'a laissé tomber. Alors, quand j'ai appris sa mort... Non, cela n'a rien changé. Je suis orphelin depuis si longtemps, vous savez.

Tristan regarda sa grand-mère et lui sourit en déposant ses mains sur ses cuisses, comme pour se reposer.

— Et votre sœur, qui a pris soin d'elle ? risqua Dumoulin.

— C'est une gouvernante qui s'est occupée de ma sœur Juliette. Mon père ne voulait pas que ma grand-mère et moi puissions nous rapprocher d'elle. Il voulait la garder pour lui tout seul.

Dumoulin aurait tout donné pour ne pas perdre sa fille Colombe, alors que Jonathan Raza, lui, tellement centré sur son nombril, n'avait pas joué correctement son rôle de père. Le sergent-détective ressentait la tristesse de Tristan et la comprenait. Être séparé de quelqu'un qu'on aime, c'est dur et cruel. Lui, il avait connu bien pire encore avec la perte de Colombe dont le meurtre n'avait jamais été élucidé. Il pensait à elle chaque jour avec une profonde affliction et sa douleur était toujours aussi vive de ne pas avoir connu la vérité sur la tragédie.

— Cet homme voyait les gens comme de simples pions, poursuivait Tristan. Maintenant, il a perdu la vie. Et il a gâché celle de ma mère. Elle est morte dans un accident de la route, mais ma grand-mère et moi avons toujours pensé qu'il s'agissait d'un suicide déguisé en accident.

— Et pourquoi donc ? questionna Dumoulin.

— Parce qu'elle était rongée par les remords et cachait sans doute un terrible secret.

Avant de mourir, Lara avait évoqué avec sa propre mère le projet de fuir son horrible mari. Il la dénigrait continuellement devant les enfants, lui laissait croire qu'elle n'était jamais à la hauteur autant dans sa vie sociale que personnelle. Ridiculisant ses activités artistiques et son apparence physique, Jonathan avait réussi à démolir sa confiance et son estime de soi. Elle se sentait comme une loque humaine, une figurine vide, cassée et sans aucune utilité qu'une chiquenaude pouvait faire basculer.

Mais elle n'avait aucune idée de ce qu'il fallait faire afin d'échapper à une situation de plus en plus intenable. Marie-Christine Denault avait alors proposé de recourir aux services d'une avocate spécialisée en droit familial. Lara était sur le point de la rencontrer, quelques jours avant son décès.

Dumoulin regarda Bertille et aurait aimé lui parler, échanger ses impressions avec elle, prendre en compte son avis. Il aurait voulu valider une hypothèse qui lui passa par la tête. Est-ce que la vieille dame et son petit-fils avaient voulu prendre leur revanche sur l'effroyable homme qu'avait semblé être Jonathan Raza en orchestrant l'incendie du 22 juin ? Au lieu de cela, il consulta sa montre comme par habitude.

— Dans d'autres circonstances, monsieur Denault, vous auriez été un suspect potentiel, mais comme vous étiez à l'étranger...

— J'ai un alibi, c'est ce que vous dites ? Eh bien, tant mieux pour moi, maugréa Tristan en regardant la vieille dame.

Le visage de madame Denault devint livide, sous le coup de l'indignation. Elle observait la scène et suivait les échanges dans le moindre détail. Visiblement, elle ne semblait pas avoir beaucoup aimé son ex-gendre. Dumoulin lui poserait des questions une autre fois, lorsqu'il saurait exactement où creuser.

— Pouvez-vous nous aider à faire la lumière sur cette affaire ? demanda-t-il en regardant tour à tour le petit-fils et sa grand-mère.

— Je vais faire mon possible. Ma grand-mère et moi sommes prêts à collaborer avec la police. N'est-ce pas, mamie ? demanda Tristan en se tournant vers elle.

La vieille femme opina du bonnet. Son petit-fils ajouta, perplexe :

— Vous devez vous dire que nous formons une drôle de famille.

— Notre travail n'est pas de juger les gens ni les histoires de famille, monsieur Denault, répliqua Dumoulin avec célérité. C'est de trouver des preuves et de mettre les coupables hors d'état de nuire. Vous voyez ?

Le sergent-détective ne se fiait pas aux seules apparences, des plus séduisantes aux moins flatteuses. Il avait observé trop de délinquants qui avaient l'air de citoyens comme tout le monde. En société, parfois rien ne les distinguait réellement des autres. Ils n'avaient aucun problème apparent et menaient une vie bien ordinaire, une vie régie par le train-train du travail, les hauts et les bas du milieu familial et les jours fériés du calendrier. Le sergent-détective s'arrêta un bref moment pour faire le point dans sa tête et marquer la fin de l'entretien.

— Une dernière question, si vous le voulez bien, avant qu'on vous quitte, ma coéquipière et moi, demanda encore Dumoulin.

Tristan acquiesça d'un signe de tête, les bras croisés sur le ventre.

— Quel était le lien entre la secrétaire de la clinique et votre père ?

Le jeune homme esquissa son premier sourire de tout l'entretien. Il se détendit en étirant un bras de côté, regarda sa grand-mère et s'exclama :

— Mais allons donc, c'est un secret de Polichinelle ! C'était sa maîtresse ! Ils se sont connus il y a longtemps, très longtemps. Tout de suite après la mort de ma mère. J'étais encore un petit garçon. Cette femme est très particulière, et, excusez ma grossièreté, un peu timbrée. Qui s'assemble se ressemble, si vous voyez ce que je veux dire. Ils se valaient bien l'un et l'autre.

Les deux D prirent congé pour rentrer au quartier général. Ils avaient recueilli sur la victime un grand nombre de renseignements qu'ils devraient décortiquer. En sortant de la maison, Dumoulin confia à Bertille :

— J'ai une curieuse impression. Crois-tu qu'on peut se fier à ce que Tristan nous a dit ?

— Ses gestes étaient spontanés, ses propos logiques et bien structurés. Je crois qu'il a dit la vérité. Est-ce qu'il a tout dit ? J'en doute sérieusement. Par contre, la grand-mère en sait beaucoup plus qu'on pourrait le supposer. C'est une femme super intuitive. J'en donnerais ma chemise.

— J'ai hâte d'obtenir le profil financier de la victime et de savoir qui hérite de tout son argent : sa maîtresse, ses enfants ou une fondation du jardin japonais ? Pousse un peu plus fort pour l'avoir au plus vite, Bertille.

— Je vais m'y mettre.

En suivant des yeux les deux enquêteurs qui s'engouffraient dans leur voiture de service, Tristan dit à sa grand-maman :

— Bon, on est débarrassés d'eux pour l'instant. J'ai l'étrange impression de connaître le policier. Je ne sais pas trop pourquoi.

Marie-Christine Denault souffla à son petit-fils :

— Tu aurais dû cracher le morceau pour ta mère et ta sœur. Cela t'aurait soulagé, je crois.

— Une autre fois, mamie. Une autre fois. Je ne suis pas encore prêt. Bientôt, j'y viendrai, je te le jure. Même mort, il vient encore ruiner ma vie, l'imbécile.

— Tu ne peux pas continuer à t'apitoyer sur ton sort, mon garçon. Ce n'est pas bon de refouler toute cette histoire.

Ils se regardèrent avec une touchante mélancolie.

Chapitre 5

L'agenda des rendez-vous

Il était un peu passé 18 heures 30. Dumoulin avait quitté le bureau plus tôt que d'habitude pour aller acheter un bouquet de fleurs à sa femme et tous les ingrédients pour préparer un bon repas, histoire de se faire pardonner son absence durant le congé de la Fête nationale et son report des vacances. De retour à Montréal, après un séjour à la campagne, Héloïse allait-elle bouder son cher mari avant qu'elle parte en Virginie avec sa sœur ?

De son côté, Bertille venait d'obtenir un profil financier de Jonathan Raza. Sa situation financière en disait long : il menait un train de vie assez aisé et, à première vue, il n'y avait rien d'anormal dans ses affaires. Cela ennuyait l'enquêtrice au plus haut point. Impossible que cet effroyable type n'ait pas trempé dans une quelconque magouille !

Après avoir lu le testament de Raza, Bertille se demanda pourquoi Tristan Denault était le seul héritier. Juliette Raza n'avait droit à aucune part du patrimoine de son père, comme si le médecin avait voulu la punir en la déshéritant, la privant ainsi de plusieurs millions de dollars. Mais la punir de quoi au juste ? Peut-être de son exil en Floride. Peut-être d'être une fille ! Qui sait ce qui avait bien pu passer par la tête du docteur au moment de coucher ses dernières volontés ? Bertille en discuterait avec Dumoulin, le lendemain matin à la première heure.

Avant de ramasser ses effets personnels et de partir chez elle, la sergente-détective consulta ses courriels une dernière fois. Se concentrant sur ceux qui semblaient urgents et intéressants, elle cliqua sur une réponse qu'elle attendait depuis quelques jours déjà. Tout en lisant le message, elle se frappa dans les mains, comme si elle venait de gagner le gros lot. Jonathan Raza avait déjà eu maille à partir avec la Gendarmerie Royale du Canada. Il avait fait des affaires d'or en revendant des œuvres d'art internationales et de beaux objets qu'il s'était procurés de manière douteuse. Or, les preuves avaient été jugées insuffisantes pour intenter des poursuites contre lui. « Peut-être s'est-il fait de puissants ennemis à cause de cette activité plutôt louche ? » se demanda Bertille.

Elle avait espéré qu'en lisant cette information, un éclair de génie aurait jailli dans son esprit, ou qu'une donnée capitale aurait conduit l'enquête sur une piste prometteuse. Mais non ! Il fallait continuer de chercher dans le passé de la victime et trouver pourquoi quelqu'un avait voulu se débarrasser de cet homme. Plus l'enquête avancerait, plus la liste d'ennemis potentiels risquait de s'allonger.

Bertille éteignit son ordinateur et quitta le bureau. Elle prit son immense sac à main en toile et se dirigea vers la bouche de métro de la station Saint-Laurent. À cette heure-là, il y avait un peu moins d'usagers que durant la période de pointe. Bertille descendit à la station Guy-Concordia et marcha jusqu'à son domicile entouré de bitume et de rares espaces gazonnés, surtout utilisés par les chiens du quartier.

La mer lui manquait, de même que les couchers de soleil et les conversations intéressantes et parsemées de rires et d'exclamations avec son compagnon, resté au gîte touristique. Il avait pris de longues vacances de plusieurs mois. Bertille n'avait pas renoncé à ses derniers jours de plein air avec lui. Elle retournerait en Nouvelle-Angleterre dès que l'enquête serait terminée. « Dans un peu moins de deux mois », espérait-elle.

Elle ouvrit la porte de son appartement quand tout à coup elle sentit la présence d'un homme puissant qui la saisit par-derrière avec brutalité et la plaqua contre le mur du vestibule. Une soudaine montée d'adrénaline provoquée par la peur lui fit alors l'effet d'une décharge électrique dans tout le corps. Elle administra à l'intrus un vigoureux coup de coude dans les côtes et s'éloigna de lui en courant jusqu'à l'entrée de sa chambre. Il la rattrapa facilement, colla son large torse humide contre son dos, glissa une main sous son polo à manches courtes, tandis que l'autre lui servait à la retenir, et il prolongea le geste sous son soutien-gorge en dentelle.

Bertille résistait toujours à l'assaut du gaillard et lui répétait sans cesse : « Lâche-moi, lâche-moi ! » Mais elle savait qu'elle baissait sa garde et succombait au plaisir qui l'embrasait avec de plus en plus d'intensité. D'une main de virtuose, l'homme lui caressa les seins qu'elle avait petits, mais fermes, puis la fit se retourner. Il se pencha pour lui mordiller le cou et les mamelons, passant d'un endroit à l'autre. Le barbu viril défit la ceinture de son jean et le baissa rapidement. En la déshabillant du regard, il ordonna à la policière de l'imiter :

— Allez, plus vite que ça ! Mets-toi à poil. Bouge-toi le cul !

Elle se plia à ses demandes sans le quitter des yeux. Lorsqu'elle fut complètement nue, il l'embrassa avec fougue et se jeta sur le lit en l'entraînant avec lui dans sa chute. Puis il mit une main sur sa bouche pour l'empêcher de parler. Elle était totalement à sa merci, obéissante et dominée. Excitée par cette mise en scène des plus enivrantes, elle perdit le contrôle, incapable de répondre de ses gestes. Elle était aux anges! Et consentante!

Ce fut tout à fait délicieux de ne rien contrôler pour une fois, de se laisser aller au désir de l'autre, de cautionner ce jeu érotique dont elle connaissait les limites établies conjointement avec Hugo.

— Pas un mot sinon je te fais la peau, lui murmurat-il à l'oreille pendant qu'il la chevauchait et faisait pénétrer son sexe en elle.

Elle retrouvait ce grand corps musclé qu'elle connaissait par cœur, mais qui savait se réinventer durant leurs ébats, jouant un rôle de composition parfois muet, parfois aussi volubile qu'un véritable moulin à paroles... aux accents étrangers. Elle aimait l'odeur de sa peau. Elle aimait l'avoir près d'elle, tout contre son petit corps de femme échevelée.

Trois assauts et quelques étreintes plus tard, elle gémissait sous lui, sans tricher. Le jour tombait sur le centre-ville de Montréal. Le vent s'était levé, une fine pluie se mettait à tomber faiblement. Les deux amants plaisantaient tout en se racontant leur vie depuis leur dernière conversation. Moment d'étroite connivence qui marquait leurs chaudes retrouvailles.

— Tu m'as manqué, lui avoua-t-il.

— Je ne peux pas dire la même chose de ta barbe, reprit-elle en lui caressant le visage.

— Tu aimes ça quand ça chauffe, pas vrai ?

— Quand je te regarde, il faut que je voie le feu dans tes yeux.

— Sinon, tu te débarrasseras de moi ?

Elle ne répondit pas et enroula une mèche de ses cheveux autour de ses doigts en lui jetant un regard qui en disait long sur ses sentiments. Hugo lui plaisait et elle l'admirait.

— Tu n'es pas juste une passade, tu sais, Bertille. Je t'aime réellement.

— Chut ! fit-elle en mettant son index sur les lèvres rouges et pulpeuses de son amant. Ne gâche pas ce moment.

— Me caches-tu quelque chose ? demanda-t-il en la perçant du regard.

Elle lui sourit sans artifice et vit du soulagement dans les yeux de Hugo. Il tiendrait bon. Il ne perdait pas espoir, prêt à tenir le rôle qui plaisait actuellement à la femme de sa vie. Sûr qu'il aurait aimé entendre : « Moi aussi », après la déclaration maintes fois réitérée de ses sentiments, mais bon !

Après leur ardente effusion, ils se couchèrent l'un contre l'autre. Quand Hugo se fut endormi, Bertille se dégagea des bras de son homme avec précaution, puis elle se leva. Elle enfila un grand tee-shirt qui lui allait jusqu'à mi-cuisses et marcha à petits pas rapides vers la porte-fenêtre sans faire de bruit. La pièce, située au cinquième étage, baignait dans la lumière orangé-rose du réverbère électrique de la rue. Elle sortit sur le balcon en pleine nuit pour réfléchir à l'enquête.

Deux ou trois questions lui tournaient dans la tête. Le lendemain, elle en parlerait avec Hugo. Avec tous ses contacts, il pourrait certainement l'aider. Le Shima, à New York, était-ce seulement un restaurant ou une couverture pour une activité clandestine ? Pourquoi un homme aussi riche et non fumeur de surcroît avait-il conservé des allumettes de cet endroit ? Qu'est-ce qu'il était allé faire dans cette ville et pourquoi était-il revenu pour travailler le lendemain, la veille de la Fête nationale du Québec ? Bertille se souvint soudainement que le pathologiste judiciaire avait vaguement parlé de bijoux en or retrouvés sur le corps de la victime. Un cadeau pour sa maîtresse, peut-être... Il était donc beaucoup plus attaché à elle qu'ils ne pouvaient l'imaginer.

Bertille voulait en avoir le cœur net. Pour l'heure, elle décida de se réfugier sous les draps blancs, aux côtés d'Hugo qu'elle aimait plus qu'elle ne le pensait. Il était sensible, gentil, attentionné. Elle adorait se plier à ses demandes, la nuit, mais elle lui résistait toujours, le jour. Elle voulait bien continuer à sortir avec lui. Mais elle avait envie de profiter de la vie. Elle ne voulait pas s'engager et surtout, ne pas être obligée, un jour ou l'autre, de fonder une famille. Non, décidément, ce projet n'était pas pour elle!

« Trop souvent, pensa-t-elle, les sentiments s'opposent au pouvoir de l'esprit et de l'intelligence. » Elle n'avait pas besoin de comprendre ses sentiments pour Hugo; elle devait seulement les ressentir d'une manière brute, avec ses tripes. Elle s'endormit en se demandant ce qui pouvait rattacher deux personnes comme Jonathan Raza et Estelle Lavoine.

* * * * *

Convaincu qu'elle ne leur avait pas tout dit lors de leur premier échange qui avait eu lieu quelques jours plus tôt, Dumoulin voulait rencontrer de nouveau la secrétaire du médecin. Bertille était d'accord. Cette nouvelle entrevue avec Estelle Lavoine, le sergent-détective voulait la jouer fine. Il avait préparé ses questions avec minutie, en tissant sa toile de façon stratégique, dans l'espoir qu'elle se mette enfin à table et raconte ce qu'elle savait.

« Que cache-t-elle exactement? » se demandait Dumoulin en fixant son ordinateur. « À force de la cuisiner, elle va finir par nous déballer son sac et nous conduire sur une piste prometteuse. »

Sur ces entrefaites, Bertille pointa sa petite bouille dans le cadre de la porte.

— As-tu dormi sur la corde à linge ? interrogea son coéquipier.

Bertille sourit et ne répondit pas à la salve. Elle se remémora sa nuit d'amour, la mise en scène d'Hugo, ses joues rugueuses, son corps athlétique et harmonieux. Que demander de plus ?

— Tu as le menton et le tour de la bouche tout égratignés. Je m'inquiète pour toi...

Dumoulin riait dans sa barbe. Il n'allait pas rater une si belle occasion de s'amuser aux dépens de sa brillante partenaire ! Bertille laissa passer, lui décocha un sourire radieux et regarda sa montre.

— Tu ne voulais pas qu'on aille revoir ta belle madame Pivoine ou Lavoine ?

— Ha ! Ha ! Tu as de la suite dans les idées, observa le sergent-détective en se levant. Viens, on y va !

— Dans l'auto, on va pouvoir jaser du profil financier du Dr Raza que j'ai consulté hier soir. Tu vas être surpris. On a un suspect que je croyais inoffensif. Il n'est peut-être pas aussi angélique qu'il en a l'air.

— Tu parles de qui ? Du fils du Dr Raza ?

* * * * *

Dumoulin appuya sur la sonnette de l'appartement pendant que Bertille parlait au téléphone. La secrétaire les accueillit avec un petit sourire en coin, mais ses yeux trahissaient son inquiétude. Les enquêteurs franchirent le seuil et Bertille referma la porte derrière elle. Madame Lavoine semblait sympathique, comme elle l'avait été lors de leur première rencontre.

— On passe au salon, dit-elle d'une voix alanguie, en invitant les deux enquêteurs à prendre place sur un canapé modulaire, agrémenté de plusieurs coussins en soie orange.

Bertille semblait mal assise à l'une des extrémités du meuble, alors que Dumoulin dévorait des yeux la secrétaire au chômage.

— Je vous sers de la limonade ? proposa-t-elle, debout à l'entrée de la pièce. Avec cette chaleur, ce serait une honte de ne rien vous offrir.

Les deux policiers acceptèrent avec empressement. Pendant que madame Lavoine s'affairait à la cuisine, ils en profitèrent pour vérifier que rien n'avait changé dans le décor. Meubles d'appoint en rotin, murale artisanale représentant une forêt de bambous, sous-verre en laque du Vien Dong Hotel, à Ho Chi Minh-Ville, aquarium géant dans un coin du salon, rien n'avait bougé. Il faisait une chaleur suffocante dans la pièce. Le ventilateur au plafond fonctionnait à plein régime, produisant un léger grincement, mais n'apportait rien d'autre qu'une brise caressante, insuffisante pour combattre l'humidité ambiante.

La jolie femme au visage ovale revint avec les boissons et servit ses invités qui la remercièrent poliment. Ses longs cheveux droits, noirs aux reflets soyeux et cuivrés, tombaient sur ses belles épaules rondes dans un mouvement gracieux. Dumoulin vida son verre presque d'un trait tandis que Bertille dégustait sa limonade. Les deux femmes échangèrent un sourire amical. Bertille ouvrit sa tablette électronique et commença à taper. Estelle Lavoine demanda à Dumoulin, en le regardant dans les yeux :

— Au téléphone, vous avez été plutôt vague au sujet de cette nouvelle rencontre. Pourtant, j'ai déjà répondu à toutes vos questions il y a quelques jours. De quoi s'agit-il cette fois-ci ?

— Oui, c'est vrai. Et je vous remercie de votre disponibilité. Nous avançons, assura Dumoulin. En fait, puisque vous avez mentionné au téléphone que vous possédiez sur une clé USB une copie de l'agenda du Dr Raza, nous avons saisi l'occasion de vous poser d'autres questions, vous qui étiez près de lui.

Le sergent-détective précisa le but de la visite : éclairer les zones d'ombre. Et des zones d'ombre, il y en avait plusieurs. En commençant par les occupations d'Estelle Lavoine le soir de l'incendie. En outre, Dumoulin voulait savoir si la secrétaire avait entretenu une relation intime avec son patron, comme le prétendait Tristan Denault. Si oui, il souhaitait savoir pourquoi elle avait caché cette information.

— Vous ne paraissez pas surprise par la mort de Jonathan Raza, releva Dumoulin.

Estelle Lavoine respira profondément, secoua la tête et ferma ses yeux noirs en amande. Puis elle les ouvrit, l'air triste.

— Il a pris des vacances à New York, comme il le faisait chaque année depuis que je le connais...

Elle ajouta presque aussitôt en un battement de ses longs cils noirs recourbés :

— C'était un grand menteur. Jonathan ne pouvait pas faire autrement. Il lui arrivait de s'embourber dans tous ses mensonges. Pauvre homme !

— Qu'est-ce qui l'attirait dans cette ville ? interrogea Dumoulin.

— Je crois qu'il allait voir des femmes asiatiques.

Dumoulin parut surpris par cet élan de sincérité, soudain et inattendu de la part de madame Lavoine qui, jusqu'à présent, se tenait sur la défensive. Il ressentit tout à coup de la compassion pour cette femme trompée et délaissée par l'homme qu'elle aimait. Mais il soupçonnait que sous des dehors épanouis se cachait une personne autoritaire et d'une grande rigidité.

— À vrai dire, il avait un faible pour les Japonaises...

Dumoulin écoutait d'un air dubitatif. Son regard se tourna vers Bertille, qui continuait de taper, le sourcil droit en accent circonflexe, comme pour marquer son dissentiment et se mettre à distance.

— Moi, je suis métissée : moitié Québécoise, moitié Vietnamienne. Vous savez, il considérait les femmes comme des objets. De beaux objets de collection.

Estelle Lavoine s'interrompit, comme troublée par ses propres déclarations. Dumoulin l'invita à continuer d'un signe de tête. Elle prit une gorgée de limonade et ajouta :

— Le soir de l'incendie, je l'attendais ici bien sagement pour célébrer mon anniversaire. Comme vous le savez déjà, puisque je l'ai dit à vos collègues enquêteurs, je n'ai pas d'alibi. Je suis désolée. Je n'ai rien pour me justifier à part la livraison d'une commande que j'avais passée la veille chez un traiteur.

Dumoulin baissa les yeux en soupirant. Il chercha une autre question à poser à Estelle Lavoine et grommela :

— L'ex-femme de monsieur Raza était d'origine asiatique, c'est bien cela ?

— Oui, mais Jonathan n'a pas vécu longtemps avec Lara, à cause de sa belle-mère. Elle a tout fait pour les séparer une fois mariés. C'est ce que Jonathan m'a raconté.

Lara était tombée follement amoureuse du jeune médecin, jaloux et possessif, qui avait décidé d'en faire sa femme, la privant ainsi d'une belle carrière d'actrice en Europe. Or, la jeune Lara venait tout juste d'interpréter le rôle principal dans un film de sa mère, une histoire inspirée de l'œuvre de Marguerite Duras. Le long métrage avait remporté beaucoup de succès à l'étranger.

— Et sa mère n'a pas pu empêcher leur union, soupira Dumoulin.

— C'est bien ça.

Les enquêteurs paraissaient exténués à cause de la chaleur écrasante avec laquelle ils avaient de plus en plus de difficulté à composer. Une bonne averse permettrait au moins de faire chuter l'humidité persistante. Dumoulin avait hâte de retourner à la voiture et d'actionner la clim à fond, qui avait finalement été réparée.

— Dernière question si vous le voulez bien, madame. Pourquoi ne nous avez-vous pas mentionné que vous sortiez avec monsieur Raza quand on s'est rencontrés la première fois ? insista Dumoulin.

Bertille guettait la réaction de la secrétaire. Celle-ci parut calme et paisible, malgré un léger plissement des lèvres qu'elle gratta délicatement, comme si elle prenait son temps et cherchait à se taire.

— Bien, c'est que vous ne m'avez pas posé la question !

— Vraiment ! répliqua Dumoulin d'un ton ferme, ne cachant pas son scepticisme. Madame Lavoine, pourquoi ai-je l'étrange impression que vous ne jouez pas franc jeu avec nous ?

La belle secrétaire ne répondit pas à cette question et se contenta de regarder par terre. Dumoulin revint à la charge.

— Est-ce que le Dr Raza avait déjà reçu des menaces de la part de personnes ou de groupes de pression ?

Estelle Lavoine prit son temps pour répondre à cette dernière question, sachant qu'elle se trouvait à présent sur un terrain glissant.

— Laissez-moi réfléchir un instant, je vous prie. Avec toutes ces émotions qui m'envahissent, j'ai beaucoup de difficulté à me concentrer.

— Je comprends très bien, continua Dumoulin. Mais nous menons une enquête sur un homicide. Il y a eu mort d'homme, madame Lavoine. C'est sérieux.

— Je le sais, sergent-détective. Vous devez trouver mes propos décousus. J'ai si facilement la larme à l'œil. Je ne me souviens pas très bien. En fait, je ne le sais pas.

Le sergent-détective en avait fini avec son entretien. Pourtant, la secrétaire n'avait pas dévoilé le pot aux roses. Il fallait continuer de creuser. Mais jusqu'où devrait-il fouiller ?

Dumoulin tira un mouchoir de la poche intérieure de son pantalon et se tamponna le front, tout en se levant et en repassant les plis de son pantalon du revers de la main. Les enquêteurs sortirent de l'appartement en même temps que leur hôtesse qui devait aller faire des courses au marché.

À l'instant où la secrétaire mit le pied à l'extérieur, l'éclatante lumière de l'été révéla ses traits fins et le grain délicat de sa peau. Quand son regard s'arrêta sur celui de Dumoulin avec une incomparable intensité, il éprouva un sentiment des plus étranges, comme une gêne reliée à un vague désir de se glisser dans ses bras. Il fut entraîné par le charme irrésistible de cette femme à l'allure pimpante, mais dont il se méfiait sans raison évidente.

— Merci d'être venus, murmura-t-elle sur le trottoir, d'une voix envoûtante, presque inaudible. Je vois que vous prenez l'affaire au sérieux. Et je dois dire que cela m'apporte un peu de réconfort en ce moment. Je m'accroche comme je peux. Vous savez, Jonathan n'était pas parfait, loin de là, mais je l'aimais. Je n'ai jamais pu rien y changer, croyez-moi. Je l'avais dans la peau.

— Merci pour l'agenda des rendez-vous sur clé USB. C'est une chance pour nous que vous ayez conservé ce document. Il nous sera particulièrement utile, madame, reprit le sergent-détective. N'oubliez pas de nous appeler si vous vous souvenez d'un fait inhabituel et d'une particularité au sujet de l'un des patients du Dr Raza.

— On ne sait jamais! Au revoir, répondit-elle en marchant avec son petit panier sous le bras.

— À très bientôt, assura Dumoulin, certain qu'il reverrait prochainement la belle dame.

— Au revoir, madame, enchaîna Bertille, en relevant ses cheveux en un chignon bouclé. Ouf! J'ai hâte de retourner dans l'auto.

— À qui le dis-tu? En attendant, si on prenait un café glacé pour faire changement? suggéra Dumoulin.

— Là, tu parles! On va où?

— Tu conduis, tu décides, conclut-il en montant dans la voiture.

Bertille démarra le véhicule et son coéquipier alluma immédiatement la climatisation.

— Quel soulagement! dit-il.

— On a juste une liste de personnes qui avaient rendez-vous à la clinique. Ça ne nous avance pas beaucoup, commenta Bertille, songeuse.

— Tu as peut-être raison, mais c'est mieux que rien. On ne sait jamais ce qu'on peut trouver. Toutefois, ajouta Dumoulin en souriant, je soupçonne madame Lavoine de nous cacher encore quelque chose.

— Elle joue au chat et à la souris avec nous depuis le début.

Jonathan Raza avait multiplié les liaisons amoureuses au cours des années, et peut-être laissé derrière lui des femmes frustrées et obnubilées par le désir de se venger. Il fallait vérifier cette hypothèse.

Le travail du médecin n'était pas non plus sans lui attirer des ennemis d'ordre moral ou idéologique, souvent prêts à prendre les grands moyens pour défendre une cause qu'ils avaient épousée avec conviction. Des secrets refaisaient surface. De quoi mener les enquêteurs sur d'autres pistes.

CHAPITRE 6

Le meurtrier de Colombe

Bertille arriva en retard au bureau le lendemain matin. Travailleuse acharnée, elle ouvrit son ordinateur en vociférant contre une autre interruption de service du métro en pleine heure de pointe. La sergente-détective devait consulter l'ordre du jour d'une réunion avant de se rendre à une salle de conférence située au dernier étage.

« Merde ! » gémit-elle. Dans son Outlook, elle vit un message qu'elle attendait impatiemment d'un collaborateur de la Sûreté du Québec (SQ), en relation avec l'étranger. Assez laconique, il lui disait simplement qu'il avait de l'info sur Le Shima, à New York. « Tu sais, on n'y sert pas que des mets japonais. » Ce commentaire piqua sa curiosité. Malheureusement, elle n'avait pas le temps d'appeler son contact. Elle devait se rendre immédiatement à sa réunion.

Bertille trouva cette rencontre mortellement ennuyeuse, car elle avait la tête ailleurs. D'après ses collègues de la SIC, la façon dont avait été incendiée la clinique ne correspondait à aucun mode opératoire connu des policiers et elle n'avait jamais été observée ailleurs au pays. Aucune personne interrogée jusqu'à présent n'avait donné des indices ou une description précise d'un éventuel responsable. On commençait à fouiller un peu plus dans la vie des deux enfants de la victime. Tristan, unique héritier, faisait l'objet de recherches plus poussées, particulièrement par le sergent-détective Porter, qui recevait ses instructions de Dumoulin.

De retour à son bureau, Bertille téléphona à son contact à la SQ. Un homme à la voix nasillarde lui répondit. La sergente-détective prit tout juste le temps de le saluer avant de lui demander à brûle-pourpoint ce qu'il avait trouvé. En raccrochant le combiné, son visage s'illumina d'un sourire de vainqueur. La grande silhouette de son coéquipier, avec une belle carrure d'épaules, apparut dans l'embrasure de la porte.

— Tu as l'air d'un chat qui vient de manger un oiseau, ironisa Dumoulin.

— Bonne image ! Je vais te dire, c'est pas mal comme ça que je me sens !

— Qu'est-ce qui t'arrive ce matin ?

— On a déjà eu la confirmation de l'Agence des services frontaliers du Canada que Jonathan Raza revenait de New York.

Dumoulin hocha de la tête tout en ne lâchant pas Bertille des yeux. Sa coéquipière renchérit du tac au tac :

— Tel que l'a laissé entendre madame Lavoine, notre type allait dans cette ville pour se taper des poulettes vierges d'origine japonaise.

— Tu en as eu la confirmation ?

— C'est ce que je viens d'apprendre de la SQ. Notre bonhomme se rendait au Shima, et pas seulement pour déguster des sushis. Il y croquait aussi des femmes !

— Intéressant ! Et est-ce que les techniciens ont trouvé quelque chose dans son ordinateur ?

— Je ne sais pas encore.

— Appuie sur l'accélérateur, sois insistante. Avec amabilité, comme d'habitude. On a besoin de résultats pour avancer sur des bases solides.

Bertille revint sur sa conversation avec sa connaissance à la SQ. Dumoulin l'arrêta :

— Je crois que le calepin trouvé dans la voiture de la victime pourrait nous mener sur une nouvelle piste.

Sans parler du second calepin, plus ancien, que tu as trouvé dans sa cuisine.

— Qu'est-ce que tu entends exactement à propos d'une nouvelle piste ? demanda Bertille, perplexe.

— Les initiales et les dates qui y sont inscrites sont peut-être des trophées de chasse. Tu te souviens, quand on a visité l'appartement de la victime, tu m'as dit qu'il avait tendance à collectionner toutes sortes d'objets, notamment les daruma, rappela Dumoulin. Pourquoi n'aurait-il pas adopté le même comportement dans sa vie sexuelle ?

— Ça se peut que notre bonhomme ait conservé des traces de ses petits exploits sexuels, comme le font certains psychopathes. Décidément, il me pompe l'air, ce Raza !

— Imagine s'il était vivant !

Les deux enquêteurs pouffèrent de rire et Dumoulin suggéra d'aller manger au Montreal Pool Room, boulevard Saint-Laurent.

— Je te suis ! J'ai envie de deux hot-dogs moutarde-chou-oignons et d'une poutine western, admit la toute menue Bertille. J'ai une faim de loup !

Les choses commençaient à bouger. Il fallait célébrer grassement !

Assigné aux chiens écrasés et autres nouvelles sans intérêt, un journaliste agaçant ne passait pas une journée sans téléphoner à Tristan Denault. Ces appels à répétition commençaient à venir à bout de la patience du jeune homme. Le journaliste alla même jusqu'à suivre le fils de la victime au crématorium de ville Mont-Royal, qui devait assister aux funérailles de son père. Les restes du médecin à moitié calciné furent incinérés en cette nouvelle journée chaude, mais pluvieuse.

Il était 15 heures 30. Bien au frais dans leur voiture banalisée, les deux D observaient de loin les va-et-vient de personnes qui allaient offrir leurs condoléances à Tristan et Juliette. Peu d'invités avaient été conviés aux obsèques : quelques collègues du défunt et des cousins et cousines de l'Ouest canadien. Les parents de Jonathan Raza étaient décédés et il n'avait ni frères, ni sœurs. Une petite cérémonie fut improvisée. Un camarade de la victime, lui-même médecin, prit la parole et offrit ses condoléances aux enfants.

Mamie Denault avait décidé de rester dans sa résidence pour personnes semi-autonomes. Pourquoi jouer la comédie ? Cette femme au franc-parler, qui avait vécu du cinéma, connaissait en tous points la différence entre la réalité et la fiction.

Juliette ressemblait beaucoup à son frère, mais elle avait plus de prestance. Aussi grande que Tristan, le même teint cuivré, elle portait de grosses lunettes rondes rétro qui dissimulaient une petite bosse sur l'arête de son nez. Pleine d'élégance, son attitude était naturelle et spontanée. Elle était habillée d'une jolie robe princesse châtaigne et chaussait des escarpins-sandales de la même couleur. Ses cheveux remontés en une queue de cheval longue et brillante faisaient ressortir l'ovale de son joli petit visage.

Lors de son court entretien téléphonique avec un enquêteur à partir de son domicile de Miami qu'elle avait prétendu ne jamais avoir quitté depuis des mois, Juliette n'avait pas été très bavarde. Elle n'avait montré aucun signe de tristesse en apprenant le décès de Jonathan Raza et s'était contentée de cette phrase énigmatique : « Mon père n'était pas celui qu'on croyait. Vous allez vous en apercevoir par vous-même. »

Les deux D savaient que Juliette vivait avec un millionnaire et qu'elle était sur le point de l'épouser. En toute objectivité, l'appât du gain ne constituait pas un mobile valable de patricide pour Juliette. Mais quelque chose clochait pourtant chez elle.

Par ailleurs, Dumoulin avait appris que Tristan Denault possédait un compte en banque assez bien garni pour un étudiant. À partir de l'Europe, il avait effectué quelques virements de plusieurs milliers de dollars vers une institution financière du Québec. Pour quelles raisons ? Certainement pas pour venir en aide à sa grand-mère, puisqu'elle jouissait également d'une bonne bourse.

Tout en regardant les funérailles, le sergent-détective se promit d'en glisser un mot à la prochaine réunion d'équipe afin que les enquêteurs fouillent plus à fond les finances personnelles du jeune Denault.

* * * * *

Dumoulin et Bertille avaient épluché les plaintes portées au Collège des médecins du Québec par des patients du Dr Raza durant sa carrière. Ces demandes avaient toutes suivi le même processus jusqu'au syndic, qui les avait alors évaluées. Aucune n'avait fait l'objet d'une enquête. Elles étaient en quelque sorte restées lettre morte. Les deux D avaient eu accès à un résumé des faits reprochés au médecin. Les noms des plaignants n'apparaissaient pas sur les documents publics dans le but de les protéger, avait soutenu le Collège.

— Ça ne va pas être facile. La plupart des dossiers parlent d'incompétence professionnelle, observa Bertille.

— C'est insuffisant, concéda Dumoulin. On a besoin de noms pour établir un lien avec l'incendie.

— Comment va-t-on arriver jusqu'au coupable ? On tourne en rond.

— Il va nous falloir un mandat général pour pouvoir fouiller dans les dossiers du Collège des médecins.

— OK, j'en fais la demande auprès du juge. Tu as raison : il faut que l'on connaisse le nom des plaignants.

Bertille avait vérifié l'emploi du temps d'Estelle Lavoine, le soir de l'incendie. Déception : selon une voisine qui avait passé toute la soirée sur son balcon, madame Lavoine était rentrée du travail vers 18 heures et n'était pas ressortie de son appartement. Cette information avait été confirmée par un voisin, adepte lui aussi de Balconville. De plus, un employé de Bernard et Paradis Traiteur avait effectué une livraison de produits chez madame Lavoine à 19 heures. Le relevé d'une carte de crédit de la secrétaire confirmait l'heure de la transaction. Retour à la case départ.

Mais une bonne nouvelle réconforta les deux enquêteurs. En examinant l'ordinateur de la victime, des techniciens avaient trouvé un courriel dont le message oscillait entre la menace et la séduction. Il avait été envoyé quelques jours précédant l'incendie. L'adresse IP menait à un cybercafé. Chose certaine, cette piste pourrait éventuellement permettre à Dumoulin d'établir des liens avec d'autres pièces du puzzle.

Cette annonce inattendue permit à l'équipe de prendre un nouvel élan.

* * * * *

Dumoulin était devant une photographie de Lara, la mère de Tristan, prise peu de temps avant son mariage. Sur le site Web Cinémas, consacré à l'histoire du septième art, on soulignait son étonnante performance dans un film de la cinéaste Marie-Christine Denault. Ses cheveux noirs, luisants comme le jais, tombaient sur ses épaules. Elle avait un regard mystérieux d'une intensité éclatante. On la voyait devant un ciel d'un bleu nuit onirique, sous une lune floue, presque coulante, telles les célèbres montres de Salvador Dali. Sur une autre photo, prise légèrement de côté, elle était l'élégance incarnée dans une tunique vietnamienne traditionnelle qui mettait en valeur chaque ligne de son superbe corps. On en oubliait le décor de l'époque coloniale française dans lequel elle se trouvait, durant la mousson, un ventilateur mollasson au plafond.

Cette trouvaille terminait les petites recherches parallèles de Dumoulin, en vue de l'interrogatoire en règle de Tristan Denault. Étiqueté comme suspect potentiel en héritant de la fortune considérable de son père, Tristan avait été convoqué au quartier général de police.

Situé au centre-ville, le gratte-ciel de béton, d'acier et de verre qui abritait le QG surplombait un vaste quadrilatère délimité par des rues bordées d'arbres, de salles de spectacles et de tours de bureaux. Tous les services administratifs et les centres de commandement avaient été regroupés sous le même toit, formant un quartier général moderne et froid. Véritable château fort, il imposait aux visiteurs de nombreuses mesures de sécurité : fouilles de sacs, rayons X et surveillance par caméra. Selon le lieu du rendez-vous, on prenait des empreintes rétiniennes et digitales. Avec tout cet attirail technologique, qui aurait voulu jouer au héros ?

Le sergent-détective Dumoulin réserva à Tristan Denault un accueil jovial. Affichant un large sourire laissant apercevoir une impeccable dentition qui faisait la fierté de son dentiste, il serra la main du jeune homme et le fit asseoir dans une petite salle d'interrogatoire. Sa coéquipière arriva sur les entrefaites, cheveux en désordre et attachés par un élastique. Pour confondre les suspects, Bertille aimait jouer les jeunes femmes candides. Les suspects appréciaient, car leur entretien avec les enquêteurs leur apportait bien souvent une bonne dose de stress.

Tristan ouvrit la bouteille d'eau posée devant lui et but une grande gorgée pendant que Dumoulin le regardait attentivement et scrutait son visage. Il ressemblait à sa sœur et peut-être aussi à sa défunte mère, du moins d'après les photos que Dumoulin avait examinées plus tôt. Les yeux du jeune homme avaient la même intensité que ceux de Lara quand ils balayèrent la pièce sans fenêtre, vide et impersonnelle. Son regard se posa sur une table basse, rangée dans un coin. Songeur et taciturne, Tristan ne semblait pas disposé à entretenir une longue conversation.

Dumoulin sentit son malaise et tenta de l'amadouer en brisant la glace du mieux qu'il le put, sans entrer tout de suite dans le vif du sujet. Ils parlèrent de la santé déclinante de la grand-mère de Tristan, de ses études en droit et de son entrée au Barreau du Québec. Sans idéaliser le personnage qu'elle connaissait à peine, Bertille avait la nette intuition que Tristan ne voyait pas les choses comme la majorité des gens.

— Est-ce que vous avez des renseignements additionnels à nous donner à propos de feu votre père ? interrogea Dumoulin, passablement détendu, un café à la main.

« Feu votre père, quel jeu de mots ridicule ! pensa le sergent-détective. La victime a perdu la vie dans les flammes ! »

— Tout peut être important, continua-t-il, même le détail qui vous paraît le plus insignifiant. On ne sait jamais ce qu'on peut en tirer, sur quelle piste il peut nous mener. J'aimerais, entre autres, parler de la situation financière de votre père... et de la vôtre, puisque vous êtes le seul héritier.

Tristan hésita un instant. Mal à l'aise, il jouait avec ses doigts comme un petit garçon, puis il se lança :

— Je ne sais pas comment vous dire ça, balbutia-t-il en regardant tour à tour les deux enquêteurs. Je crois que mon père a commis l'inceste avec ma sœur. C'est ce qui a peut-être poussé ma mère au suicide...

Il avait prononcé cette dernière phrase rapidement, comme s'il avait voulu s'en débarrasser, avant de détacher son regard de celui des enquêteurs. Bertille nota toute la scène, le ton de la voix et le débit de la parole. Pour expliquer son interprétation de l'attitude non verbale des individus en interrogatoire, Bertille disait souvent à Dumoulin : « La main est la partie visible du cerveau. Il y a un côté rationnel, à droite, et un côté émotif, à gauche. Observe bien les personnes quand on les questionne ; elles nous révèlent toujours plus d'aspects d'elles qu'elles ne le pensent, même si elles ne parlent pas ! »

Un long silence suivit la déclaration de Tristan, jeune homme désespéré dont les sentiments avaient été anéantis dès l'enfance. Il semblait courir après la rédemption. Sa révélation portait son lot de souffrances enfouies dans un parcours familial semé de redoutables embûches et qui pouvait se confondre avec un chemin sans issue.

— Je vois… Ce n'est pas facile pour vous d'aborder ce sujet. Je le comprends tout à fait, assura Dumoulin. Je comprends davantage l'image que vous avez entretenue de votre père, si différent de vous à tous les niveaux.

Dumoulin était aux aguets et il se sentait un peu tendu. Il savait que l'entretien avec le fils de la victime, tâche simple à première vue, s'était transformé en un exercice des plus complexes. La voix étouffée, le regard perdu, Tristan avait peine à se calmer. Il passait une main dans ses cheveux, bougeait nerveusement sur sa chaise. Visiblement, il nourrissait beaucoup de griefs à l'endroit de Jonathan Raza. Les souvenirs reliés à son père le hantaient sans doute et l'empêcheraient peut-être à jamais d'être bien dans sa peau. Il prit une gorgée d'eau et se passa la langue sur les lèvres avant de reposer la bouteille sur la table. Puis il marmonna cette question en direction de Dumoulin :

— Est-ce que votre fille a déjà étudié en droit ? Si oui, je l'ai connue, car elle vous ressemblait trait pour trait.

De nouveau, le silence. Dumoulin blêmit et plissa le front en se tournant vers sa partenaire. Il lui lança un regard lourd de sens. Bertille soupira tout bas au souvenir de Colombe, mais elle était toujours concentrée sur l'interrogatoire. Un intense sentiment de surprise se peignait sur le visage du sergent-détective. Bertille déposa lentement sa tablette numérique sur la table et demanda :

— Avez-vous quelque chose à nous apprendre, monsieur Denault, sur la mort de Colombe, la fille du sergent-détective ?

Le jeune homme prit une autre gorgée d'eau et déglutit avec difficulté. Il hésitait, regardait Bertille sans dire un mot. Dumoulin bougeait sur sa chaise, ébranlé par le flot d'informations qui venait de le frapper comme une onde de choc.

— J'étudiais en droit avec elle. C'était une fille formidable, commença Tristan en prenant de l'assurance face à ses interlocuteurs.

Une question tournait dans la tête de Dumoulin : « Essaie-t-il de se concentrer sur ses souvenirs ou les invente-t-il au fur et à mesure pour me tendre un piège ou brouiller les cartes ? »

— On prenait souvent un café ensemble, on placotait, se rappela Tristan. On se racontait nos sorties du week-end, on discutait d'injustices sociales, de droit et de jurisprudence, on s'emportait ! J'ai une idée de ce qui a pu lui arriver. J'ai même une très bonne idée.

— Pouvons-nous revenir à l'enquête en cours ? insista Bertille sans crier gare, comme si elle ne voulait pas s'étendre sur le sujet épineux, vu la réaction de Dumoulin qu'elle sentait fort troublé, presque anéanti.

Or, la mémoire de Tristan s'était mise en route et il ne pouvait plus s'arrêter, enivré par l'élan de ses paroles. Il s'accrochait à son récit, le poursuivait avec force détails, comme s'il se libérait lui-même d'un fantôme du passé.

— Enrique, le type qui sortait avec Colombe – je le connaissais assez bien, il étudiait lui aussi en droit –, je crois qu'il n'a pas levé le petit doigt pour la sauver au cours du cambriolage où elle a perdu la vie. Ce cambriolage était une mise en scène fabriquée de toutes pièces par le père de Enrique pour lui faire peur, dit-il avec énergie, rouge comme une tomate. Vous savez que la famille de Enrique trempait dans des affaires criminelles ?

Ému, Tristan avait débité l'histoire très rapidement et se surprenait lui-même de sa propre impétuosité. Il s'excusa pour avoir tenu « des propos inappropriés dans le contexte actuel ». Mais c'était trop tard. Le mal était fait. Dumoulin accusa le coup, un coup violent qui avait fait remonter à la surface des souvenirs douloureux dont il portait toujours des marques ineffaçables.

La table était mise pour Bertille qui, fort habilement, reprit le contrôle de l'interrogatoire. Elle regarda

le jeune homme droit dans les yeux. Il soutint longuement son regard sans ciller. Sans s'en rendre compte,
Tristan se livra à Bertille. D'une grande naïveté, le jeune
homme révéla ses forces et ses faiblesses tout autant que
les motivations profondes qui le poussaient à aider les
autres. Il voulait d'ailleurs utiliser l'héritage de son père
pour soutenir des organismes communautaires, des fon-
dations reconnues d'utilité publique et des œuvres cari-
tatives. « Grand bien lui fasse », pensa Bertille.

À la fin de l'entretien, elle en savait autant sur
Tristan que sur Enrique, le petit ami de Colombe. C'est
ce qui s'appelait faire d'une pierre deux coups.

Les enquêteurs ne savaient cependant pas pourquoi
et pour qui Tristan avait effectué des virements sur un
compte bancaire. Le jeune homme avait habilement éludé
la question durant l'interrogatoire, affirmant qu'il ferait
des vérifications et qu'il communiquerait ensuite avec les
enquêteurs. « Peut-être que les recherches de Porter arri-
veront à une réponse concluante ? » se dit Bertille.

Même s'il faisait semblant de rien, Jean-René
Dumoulin se sentait brisé, démoli par les révélations de
Tristan, comme un boxeur défait après un affrontement
sur le ring. Il avait l'impression d'être un sportif qui a
perdu ses moyens, effondré, complètement K.-O., et qui
procède, dans sa tête, au décompte final des dix secondes
réglementaires avant de quitter les lieux. Et pourtant,

prostré dans l'atmosphère lourde qui régnait dans la salle d'interrogatoire, il se demandait si la nouvelle qu'il venait d'apprendre ne constituait pas un nouvel angle pour traiter toute l'affaire à nouveau. Car l'enquête menée sur les circonstances entourant la mort de Colombe, trois ans plus tôt, avait été bâclée et carrément oubliée par la police.

Tristan, Bertille et Dumoulin étaient épuisés et n'avaient qu'une envie, en finir au plus vite. Que d'émotions en un seul et même interrogatoire ! En un instant, Bertille fut debout, fine, futée et attentionnée. Dumoulin se leva et salua le jeune homme. Après avoir quitté la salle, Tristan paraissait apaisé d'avoir dit la vérité, toute la vérité. Il fit un court arrêt aux toilettes avant de suivre la policière qui le raccompagna jusqu'au service de sécurité.

Pendant ce temps, Dumoulin retourna dans son bureau et regarda au loin par la grande fenêtre. Une étrange expression passa sur son visage. En une fraction de seconde, il comprit que les enjeux avaient changé. Oui, l'affaire avait bel et bien pris une tournure à laquelle il ne s'attendait pas. Un accès de colère – qu'il avait eu la sagesse de dissimuler – et un affreux sentiment de désarroi l'empoignaient à la poitrine. Poings et mâchoires crispés, il broyait du noir.

Venue rejoindre son coéquipier, Bertille se racla la gorge bruyamment, ce qui fit sortir Dumoulin de ses pensées. Toujours debout devant sa large fenêtre, il s'était réfugié dans les souvenirs de sa fille chérie. Il se tourna vers sa partenaire, fit quelques pas vers elle et, lorsqu'il tomba sur sa chaise, il lui confia :

— On dirait que cette affaire m'oblige à revivre le calvaire de la mort de ma fille.

— Je suis là, murmura Bertille, se calant dans une chaise.

Elle était son principal atout et sa meilleure alliée pour l'aider à trouver le meurtrier de Colombe, son enfant unique, et éviter les tâtonnements administratifs et les inutiles pertes d'énergie. Le reste de l'après-midi se passa dans une relative tranquillité.

Puis le soleil descendit graduellement pour aller se coucher. Dumoulin et Bertille décidèrent de sortir manger au petit bistro de quartier où ils se rendaient souvent afin de dresser un bilan de l'enquête et mettre leur plan au point.

CHAPITRE 7

Vengeance

Dumoulin se servit un verre de thé glacé au citron frais avant de s'effondrer sur le canapé du salon. Depuis qu'il savait que Tristan Denault avait connu sa fille à l'université, son cerveau tournait à cent à l'heure. Ce fut une autre de ces nuits où il se réveilla en sursaut autour de trois heures pour ne plus se rendormir.

Après le meurtre de sa fille, il n'avait plus dormi pendant de longs mois. Avec le temps, il s'était peu à peu réconcilié avec le sommeil. Il se disait que dans la vie, un seul faux pas peut se transformer en une plongée fatale. Pourquoi donc sa douce Colombe était-elle tombée amoureuse d'un petit vaurien calculateur qui l'avait peut-être sacrifiée pour sauver sa peau ?

Il décida de regarder la télé pendant qu'Héloïse dormait dans leur chambre à coucher. N'importe quelle chaîne ferait l'affaire, pourvu qu'il y ait des images. Dumoulin coupa le son pour ne pas réveiller son épouse. Étendu sur le divan, il rêvassait, les yeux mi-clos. Il revoyait sa fille avant le jour où la mort s'était chargée de l'éloigner de lui pour toujours.

Dans ses souvenirs déformés par les années, il revoyait son petit bébé encore tout chaud et emmitouflé à la pouponnière. Puis ses premiers pas, les cinq bougies sur son gâteau de fête et son entrée à l'école du quartier. Puis Colombe s'amusant avec ses poupées et se roulant dans la neige avec son chien, Mélodie. Puis vint la déchirure de l'âme, comme toutes ces images d'autrefois qui le conduisaient vers une dérive temporelle : Colombe à l'hôpital.

Il y avait eu un matin vers cinq heures, où le blizzard avait soufflé en de fortes rafales, et où, dans un dernier souffle profond et sonore, sa fille s'était éteinte. Dérision du temps qui passe, comme un songe, ligne de vie coupée à tout jamais et suivie de quelques interrogations : « Est-ce qu'on sait quand on va mourir ? Est-ce qu'on abandonne son enveloppe corporelle peu à peu ? » Ces questions tracassaient Dumoulin et l'empêchaient de jouir d'un sommeil récupérateur. L'horloge s'était figée à vingt tours de cadran pour Colombe. Quel jeune âge pour perdre la vie dans ce qu'il qualifiait de sale concours de circonstances !

— Ça va, Jean-René ? lui demanda sa femme, debout à côté de lui.

Elle le fit sursauter en lui secouant l'épaule. Non, il ne l'avait pas entendue arriver à cause du tapis tissé et parce qu'elle avait marché sur la pointe des pieds. Non, il n'allait pas bien. Non, il ne prendrait plus d'antidépresseurs. Il voulait s'en sortir par lui-même, sans l'aide de médicaments. Seule la vérité sur la mort de sa fille pourrait l'aider à voir la vie autrement... Dumoulin reprit contact avec la réalité.

— Je n'arrive pas à dormir. Retourne te coucher, ma belle. Va ! Tu vas avoir une longue route à faire demain.

— J'ai peur que tu rechutes, Jean-René. On mérite mieux que ça...

Elle l'embrassa sur le front, tourna les talons, fit un saut aux toilettes et regagna leur lit.

Dumoulin se sentait coupable. « Héloïse va partir en vacances dans quelques heures, avec sa sœur aînée. Je vais être seul et elle va me manquer terriblement. » Le spectre de sa fille le plongeait de plus en plus dans un cauchemar éveillé où repassait en boucle le fil des événements.

« Un cambriolage qui aurait mal tourné », se remémora-t-il. C'était peu probable, car peu de choses

avaient disparu. Même s'il ne pouvait exclure cette hypothèse, Dumoulin n'avait jamais cru à ce vol perpétré à la
tombée du jour, en pleine tempête de neige. Les cambrioleurs ne s'acharnent pas sur une victime : ils la contrôlent.
Or, sa fille avait été tellement tabassée qu'elle était morte
de ses blessures à l'hôpital.

Et voilà que le petit Denault remettait ça, en lui
parlant d'une mise en scène criminelle inventée par la
famille Márquez qui trempait dans des affaires louches.
Quel genre d'affaires ? Cette nouvelle information éveil-
lait en lui toutes sortes de pensées obsédantes.

À l'époque, l'enquête avait été confiée au sergent-
détective Richard Daviau. Dumoulin le connaissait comme
un policier négligent et nonchalant. Sans doute avait-il
tourné les coins ronds pour terminer ses journées de bonne
heure. Ils se saluaient par politesse quand ils étaient face
à face, mais ils ne fréquentaient pas les mêmes personnes
et ils n'avaient jamais travaillé ensemble. À cause de son
conflit d'intérêts, Dumoulin n'avait pas voulu consulter
le dossier de l'enquête. Il savait que l'affaire avait été
bâclée et il entretenait une certaine rancune à l'endroit
de Daviau. « Mais maintenant, avec les révélations de
Tristan Denault, ça change tout ! » conclut-il avant d'aller enfin se coucher.

* * * * *

Dumoulin et Bertille n'avaient pas de projet particulier pour ce début de matinée grise et maussade. Lui épluchait pour une énième fois les dépositions des témoins recueillies après l'incendie, tout en sachant qu'il devrait recourir à une spécialiste pour comprendre les motivations d'un incendiaire et établir un profil psychologique. Elle scrutait de nouveau le passé de la victime, essayant de recoller les morceaux.

Ils avaient jugé bon tous les deux de se répartir le travail pour la journée. Dumoulin avait hérité de la réunion, qui aurait lieu un peu plus tard en matinée, Bertille, de quelques suivis prioritaires. Mais avant tout, Dumoulin décida d'envoyer un courriel à une spécialiste avec laquelle il avait déjà eu affaire par le passé et qui l'avait aidé à établir un profil psychologique.

Il rédigea son message, sollicita un rendez-vous urgent et joignit un document de plusieurs pages. « Ça ne peut pas faire de mal, surtout que Troilo insiste pour qu'on accélère la cadence. J'espère au moins qu'elle n'est pas en vacances ! » Le sergent-détective relut son texte et actionna Antidote. Il écrivait à une universitaire et ne voulait pas passer pour un policier analphabète et inculte. « Les gens ont tellement de préjugés ! »

Son plan était simple : parler avec la Dre Annie Tessier, professeure en psychiatrie pour le module de l'analyse et du profilage criminel ; cerner le profil de l'individu recherché ; l'incriminer avec des preuves solides.

Il envoya son message à Annie Tessier et s'en alla en réunion pour faire le point sur la situation. L'ordre du jour comprenait toute une série de sujets : vérification des alibis et des emplois du temps des trois suspects, soit madame Lavoine et les enfants de Raza, établissement d'une nouvelle liste de personnes connaissant la victime, incluant ses ennemis potentiels, éventail des champs d'intérêt, habitudes et problèmes des principaux suspects, etc. Avec méthode et minutie, l'équipe avançait. La réunion prit fin dans un brouhaha de commentaires et d'échanges de toutes sortes entre les enquêteurs.

— Faire enquête sur un homme aussi détesté, ce n'est pas de la tarte ! dit Mathieu Porter. En apparence, il avait une belle image, mais il ne s'entendait avec personne. Ses enfants ne le voyaient plus, ses employés le haïssaient et plusieurs médecins se méfiaient de lui. J'ai l'impression que tous ceux qu'on questionne avaient des raisons de lui vouloir du mal.

— Pour la prochaine réunion, exigea Dumoulin, je veux une liste à jour des appels téléphoniques des suspects. Vacances ou non, il faut que les affaires roulent.

Porter soupira et devança la prochaine question de Dumoulin.

— OK. Je m'en occupe aujourd'hui. Je vais insister pour avoir tes résultats sans tarder. Pour ce qui est de la femme d'une trentaine d'années qui a marché dans la ruelle juste avant que ne se déclare l'incendie, je vais la questionner à nouveau, tu peux compter sur moi. Lorsque je lui ai parlé il y a quelques jours, je l'ai trouvée frileuse. Je crois qu'elle a peur de représailles, comme c'est souvent le cas dans son pays d'origine.

— Essaie de la réchauffer en jouant de ton charme pour la convaincre qu'elle ne craint rien ici. C'est ton meilleur atout.

— Tu parles !

L'équipe se dispersa et Dumoulin revint dans ses quartiers. Il planifia ses prochaines interventions, prit ses courriels, puis se dirigea vers le bureau de Bertille, occupée au téléphone. Quand elle eut raccroché, il lui demanda :

— On va dîner quelque part ?

— J'ai examiné une nouvelle fois le relevé des appels téléphoniques de Jonathan Raza. Ça n'a rien donné la première fois. Et ça ne donne rien encore aujourd'hui. Merde ! Il n'y a rien à en tirer, répondit-elle. Par contre, sa fille a communiqué avec lui à quelques reprises avant l'incendie. Va falloir lui parler. Pour ce qui est de ses affaires, tout est en ordre. Il faisait chaque année les mêmes dépenses pour ses folies passagères à New York. Je n'en reviens pas. Il nous glisse entre les doigts !

D'un geste brusque et inhabituel, elle envoya valser le stylo posé à côté de son téléphone.

— Tu sais, j'ai envie de coincer le coupable, mais en même temps, j'aurais plutôt tendance à le féliciter. J'aurais aimé tordre le cou de la victime ! C'est la première fois que ça m'arrive. Tu comprends ça, toi ?

Dumoulin haussa les épaules.

— Ça ne vaut pas la peine de t'en faire. Quelqu'un lui a déjà réglé son compte ! Ce n'est pas lui qu'il faut arrêter, Bertille.

Du quartier général de la police, ils marchèrent en direction d'un restaurant japonais. La petite salle était calme, car il y avait peu de clients en début de semaine. Ils s'installèrent à une table près d'une fenêtre. Pendant que Dumoulin fit un tour aux toilettes, Bertille en profita pour sortir son cellulaire et appeler Hugo.

Le sergent-détective commanda une soupe ramen au porc haché et aux crevettes, alors que Bertille choisit un plat de pâtes udon. Malgré la chaleur, ils burent du thé vert. Tout en attendant leur repas, Dumoulin mit sa coéquipière au parfum des dernières discussions d'équipe.

Ils se racontèrent les résultats de leurs recherches. Bertille donna son point de vue sur certains aspects de l'affaire.

La serveuse apporta leurs plats chauds et la conversation se poursuivit de plus belle. Connaissant les grandes lignes de la tragédie que son coéquipier avait vécue dans sa vie personnelle, Bertille savait que Dumoulin était tourmenté par la mort de sa fille. Elle se faisait du mauvais sang pour lui et craignait qu'il replonge dans la dépression à cause d'une douloureuse affaire qui ressurgissait du passé et qui suscitait peut-être chez lui de faux espoirs.

— Je me demande comment il s'y prenait, ce sale type, pour séduire de jeunes femmes, lança-t-elle d'un ton rageur.

Ses paroles trahissaient ses émotions. Elle détestait Raza, un séducteur-né, un charmeur qui enchaînait les conquêtes amoureuses sans se soucier des sentiments des femmes avec lesquelles il jouait. Mais Bertille connaissait ce genre d'homme. Jonathan Raza n'était tout de même pas le seul homme à conter fleurette et à sortir avec une femme jusqu'à ce qu'il en rencontre une autre. C'était, hélas, monnaie courante dans la société. Et les femmes se faisaient encore prendre au piège. Comment l'expliquer ?

Pour Dumoulin, l'analyse était très simple : Jonathan Raza était bel homme, médecin de surcroît, et connaissait peut-être la faiblesse des femmes qu'il abordait : elles étaient amoureuses de l'amour. Bertille hocha la tête en écoutant son coéquipier qui lui présenta un nouveau scénario sur l'affaire en cours. Elle le résuma en ses propres mots pour être certaine de l'avoir bien compris :

— Selon toi, l'une des ex-patientes de Raza, probablement vierge au moment de leur rencontre, aurait voulu lui faire la peau.

— C'est l'une des pistes à explorer. C'est pourquoi on a besoin d'un mandat général pour consulter les plaintes déposées contre la victime au Collège des médecins. On a besoin de noms au plus vite ! Ça presse ! Où en es-tu avec le juge ?

— Bonne nouvelle ! On va avoir le mandat en fin de journée.

— Ce n'est pas trop tôt !

Sur le chemin du retour, devant la vitrine d'une boulangerie artisanale, les deux D croisèrent un enquêteur de la SIC qui leur parla d'Estelle Lavoine. Elle était passée au quartier général juste après leur départ et voulait savoir si l'enquête avançait.

— Veux-tu bien me dire ce qu'elle est venue faire chez nous ? questionna leur collègue. C'est plutôt inhabituel, cette façon d'agir.

Aussi éloquent qu'une réponse, le silence des trois policiers alla se fondre dans les bruits ambiants du centre-ville. Dumoulin accéléra le pas.

* * * *

D'après les plaintes portées par de jeunes femmes contre le Dr Raza au Collège des médecins du Québec, le généraliste aimait beaucoup discuter avec ses patientes, se rapprocher d'elles et connaître des détails de leur vie personnelle. Or, cette conduite n'était pas nécessaire pour des fins de diagnostic médical. Les enquêteurs regroupèrent les dossiers par catégories, ce qui leur permit de circonscrire les plaignantes susceptibles d'être interrogées :

- Cette personne ne correspond pas au profil recherché. On ne la rencontrera pas.

- Cette personne correspond peut-être au profil recherché. On la rencontrera peut-être.

- Cette personne correspond au profil recherché. On doit la rencontrer.

Les deux D établirent un lien entre les noms des plaignantes et les initiales inscrites dans le plus récent carnet du médecin, celui qui avait été trouvé dans sa voiture. Trois noms s'apparentaient à ces initiales :

- Yoshmi Uesugi (Y.U.)

- Sandra Le (S.L.)

- Marion Laennec (M.L.)

Les deux enquêteurs devaient trouver ces trois femmes pour les questionner et établir des liens avec le passé de la victime.

— Ça veut dire que les trois personnes sur cette liste sont des suspects potentiels, déclara Dumoulin. Mais il doit y avoir autre chose. Un événement extraordinaire qui a fait craquer l'une de ces femmes. Il faut mettre le doigt dessus.

— D'accord, on démarre la machine. On va voir ce que ça donne. Mon petit doigt me dit qu'on n'a pas une minute à perdre.

— Ton petit doigt ? Dis plutôt ta matière grise. Tu n'arrêtes pas de penser à cette affaire.

— Tu n'as pas tout à fait tort, plaida Bertille. J'évalue constamment plein de scénarios qui ne tiennent pas la route. Et toi, c'est pareil ?

Dumoulin haussa ses sourcils fournis, le visage soudain durci.

— Si j'ai compris une chose avec cette affaire, c'est que le passé vous rattrape toujours. Moi, je vis en atten-

dant de connaître un jour la vérité. C'est particulièrement lourd à porter.

* * * *

Les recherches visant à trouver les trois plaignantes
devaient être menées par les collègues de la SIC. Bertille
espérait qu'ils feraient un travail impeccable afin qu'elle
puisse, par la suite, convoquer ces jeunes femmes pour
un entretien. Elle planifiait déjà ses questions, mais elle
devrait les adapter à la personnalité de chacune.

Pour l'heure, les deux D avaient rendez-vous avec
la Dre Annie Tessier, spécialiste en psychiatrie pour le
module de l'analyse et du profilage criminel. Ils s'y étaient
préparés sérieusement et se sentaient prêts quand ils se
rendirent à son bureau de l'Université de Montréal.

Bertille fut étonnée lorsqu'elle rencontra Annie
Tessier. Il émanait de cette femme à l'air distingué une
classe naturelle qui la rendait inaccessible aux yeux de la
sergente-détective. La policière avait une opinion particulièrement tranchée sur la question des profils psychologiques. Elle trouvait qu'ils alimentaient de médiocres
lieux communs sur les criminels recherchés et faisaient
perdre plus de temps aux enquêteurs qu'ils ne leur en faisaient gagner. Une équation perdante !

Ils prirent place tous les trois autour d'une grande table en verre. L'universitaire offrit aux enquêteurs des boissons froides. Au début de l'entretien, ils échangèrent quelques généralités. Puis, au fur et à mesure, Dumoulin posa des questions plus pointues, plus raffinées, qui allaient s'ajouter pièce par pièce à un ensemble plus vaste pour esquisser un portrait du criminel.

— Je suis à court de suspects, à court de preuves, attaqua Dumoulin, en fixant son interlocutrice. J'ai besoin d'en connaître davantage sur les raisons qui poussent une personne à allumer un feu. J'aimerais votre avis, car je cherche des pistes, des éléments pour diriger les actions à prendre.

L'universitaire comprenait parfaitement le contexte de l'enquête. Elle semblait aimer l'esprit analytique et la méthodologie du sergent-détective. Elle commença par définir des concepts, établir la différence entre un pyromane et un incendiaire. Selon elle, plusieurs types de personnes étaient attirées par le feu et seulement certaines d'entre elles en venaient à commettre des incendies criminels. En règle générale, il y avait toujours un élément déclencheur amenant la personne à réaliser un désir jusque-là refoulé et commettre un grave méfait.

— Dans le cas qui nous préoccupe, j'opterais pour l'incendiaire qui agit par vengeance. Ce type d'individu ne répète pas son crime comme le pyromane. De plus, son geste n'est pas nécessairement dirigé contre une personne, mais on ne sait jamais avec le feu. Je vais le dire comme je le pense : peut-être que la victime constitue une sorte de dommage collatéral. C'est curieux de dire ça, mais il se peut qu'elle soit morte de façon accidentelle, sans qu'elle ait été nécessairement visée. Ces choses-là peuvent arriver, comme vous le savez sans doute.

— D'accord, mais l'incendiaire est tout de même coupable d'un acte criminel et passible de l'emprisonnement à perpétuité, répliqua Dumoulin en buvant un peu de jus de fruits.

— Vous avez raison. Mais pour établir un profil comportemental, on a besoin de critères psychologiques et non pas juridiques. Les gens qui provoquent des incendies pour se venger ont une chose en commun : ils agissent davantage dans une dynamique de colère, de pouvoir et de prise de contrôle sur la personne ou un objet qui la représente.

— C'est ce qui expliquerait le passage à l'acte selon vous ? questionna Bertille.

Annie Tessier décroisa les jambes en tournant la tête en direction de son interlocutrice. Bertille observait du coin de l'œil la spécialiste qui était habillée sobrement d'un pull et d'une jupe dans un camaïeu de bleu. Rien de renversant, mais sur elle, c'était parfait. Bertille était sceptique et les propos de l'universitaire n'arrangeaient rien. Ils n'étaient pas assez concrets pour elle.

— En partie seulement, madame Defoy. Il y a un rapport symbolique au feu, comme si l'incendiaire procédait à une forme de purification. C'est comme vouloir absoudre ses péchés en brûlant le mal.

— C'est donc bien compliqué ! rétorqua Bertille, agacée par tout ce charabia.

— Oui, en effet. On parle des grandes lignes d'une pathologie psychologique importante, mais il n'y a aucun profil identique d'une personne à l'autre.

— Allons donc ! On ne met pas le feu inopinément. On le fait parce que ça nous met dans un état de *high* naturel, parce que ça nous grise ou parce qu'on veut se venger d'une insulte, d'une humiliation, objecta à son tour Dumoulin.

L'universitaire poussa son analyse un peu plus loin, sous le regard attentif du sergent-détective.

— Il y a un peu de tout ce que vous venez de dire dans la volonté de mettre le feu, mais il faut aussi considérer les déclencheurs internes : des émotions fortes telles que la tristesse, la solitude, la colère et l'anxiété peuvent mener à un sentiment plus intense d'impulsivité et une perte de contrôle. C'est très complexe, en effet.

Bertille montrait des signes d'agitation. Elle essayait de se mettre dans la peau de la personne délinquante et de comprendre ses motivations. À des questions courtes et nettes, elle aurait voulu des réponses brèves et précises. Tout l'opposé de ce que leur offrait leur interlocutrice.

— Vous dites que l'incendiaire aurait pu agir sous le coup de la vengeance. C'est bien cela ? enchaîna-t-elle d'une voix énervée et chantante.

— Oui, en effet, madame Defoy. Je pense que c'est tout à fait possible. Se venger de la victime ou la punir, oui.

Après avoir envisagé quelques options, la Dre Tessier finit par suggérer :

— Vous savez, quand on entre dans le tourbillon de la vengeance, on ne sait jamais comment on va pouvoir s'en extraire. Vous le savez probablement beaucoup mieux que moi. La vengeance se décline à toutes les sauces. C'est un sujet qui a donné lieu à de nombreux scénarios de films et de romans ; justicier armé, amant éploré, on a vu de tout. Comme le dit un proverbe français, « La vengeance est un plat qui se mange froid ».

Cette citation fit sourire Bertille. Elle se rappelait avoir déjà lu dans un journal un fait divers insolite. Une Japonaise de soixante-dix-neuf ans avait frappé son mari à mort à cause d'une aventure qu'il avait eue avec une autre femme survenue quarante ans plus tôt! La vieille dame avait entretenu le feu de sa vengeance pendant quatre décennies. C'est ce qu'on appelait ne pas passer l'éponge et remettre ça de plus belle.

La vengeance pouvait aussi être un objectif qui avait suscité l'envie d'agir chez l'incendiaire. Un objectif de vie, un sens qu'on se donne au lever du corps, le matin. « Dans ce sens, le crime serait le fruit du libre-arbitre », pensa Bertille.

— L'incendiaire que vous recherchez est sûrement une femme. C'est plutôt rare, mais c'est mon humble avis.

— Jeune ou vieille? s'enquit Bertille, qui s'accrochait à ces paroles de la plus haute importance pour le cours de l'enquête.

— Disons dans la jeune vingtaine, avec peu d'habiletés sociales. Je crois que la jeune femme que vous recherchez est seule, dépendante, désespérée et au bord du gouffre. Vous savez, je ne peux pas faire de merveilles. Il ne s'agit pas d'une science exacte, mais d'approximations. Je n'ai pas d'éléments probants, mais après avoir analysé tous les paramètres que vous m'avez soumis, sergent-détective Dumoulin, j'en tire quelques conclusions. J'espère qu'elles vous aideront à progresser. Je ne peux pas faire mieux.

Ce dernier regarda Bertille en entendant le bip de son cellulaire, annonçant l'entrée d'un texto. Sa partenaire prit discrètement son téléphone dans sa poche arrière, alors que la psychiatre poursuivait :

— D'intelligence légèrement inférieure à la moyenne, elle aurait déjà commis des actes de délinquance juvénile, peut-être aussi de la cruauté envers les animaux. C'est commun à plusieurs pathologies.

— Je commence à saisir les caractéristiques assez stupéfiantes d'une telle personne, assura Dumoulin. Mais revenons à certains facteurs qui expliquent le phénomène de l'incendie criminel.

— Il y en a plusieurs. Retenez surtout l'abus parental, la négligence, l'insatisfaction face à la vie en général et par rapport à soi.

— Le spectre est assez large ! s'exclama Dumoulin en prenant des notes.

Le profil, bien qu'embryonnaire, laissait de la place à l'interprétation et n'aidait pas beaucoup les enquêteurs. Dumoulin avait la vague impression, en écoutant sa petite voix intérieure, que l'enquête piétinait à cause d'un détail sur lequel il n'arrivait pas à mettre le doigt.

— Oui, en effet. On peut dire cela, commenta l'universitaire.

Bertille remit son téléphone dans la poche de son pantalon. Elle semblait préoccupée et ne plus s'intéresser à la conversation. Au moment où elle et Dumoulin sortirent du bureau d'Annie Tessier, elle explosa :

— Elle ne nous a rien appris, cette universitaire !

Elle réfléchit un instant et livra enfin à Dumoulin ce qui la tourmentait.

— Tu sais, Juliette, la fille de la victime ? dit-elle en se dirigeant vers la voiture mal garée.

Dumoulin ralentit le pas, sa coéquipière l'imita et il se tourna vers elle en lui demandant :

— Quoi ?

— Tu ne me croiras pas, mais on vient de me faire savoir qu'elle était à Montréal au moment où s'est déclaré l'incendie. L'Agence des services frontaliers du Canada a confirmé cette information. Elle est entrée au pays le 22 juin. Le gars de la SIC, le grand lunatique toujours perdu, vient de se rendre compte de son oubli. Il vient de m'en informer.

Le sergent-détective reprit le pas et s'arrêta net devant la voiture. Bertille l'imita et le regarda droit dans les yeux, cherchant une réaction. Sur un ton fâché, il déclara :

— Ce n'est pas vrai ! Je trouve que ça arrive un peu tard ! On doit tout de suite parler à Juliette Raza. Est-elle toujours à Montréal ? Il faut prendre rendez-vous avec elle. J'espère que quelqu'un s'en occupe.

— Je réponds oui à toutes tes questions. Elle est à Montréal et quelqu'un de la SIC va communiquer avec elle pour qu'on l'interroge dans les prochains jours.

CHAPITRE 8

La belle inconnue

Bertille et Dumoulin avaient rendez-vous avec la grand-mère Denault, dans sa résidence pour aînés. Par ce bel après-midi ensoleillé, l'endroit au bord de la rivière des Prairies était agréable. Bien que construit depuis longtemps, l'édifice principal avait été rénové en respectant l'architecture de l'époque. Dumoulin appréciait particulièrement la fenestration généreuse qui offrait aux résidents des vues imprenables sur les deux rives.

La vieille dame attendait les enquêteurs, assise dans un fauteuil sur la véranda vitrée. Profitant du beau temps, elle grignotait un morceau tout en lisant le journal avec une loupe.

Quand elle entendit les enquêteurs arriver, elle retira ses lunettes de lecture et les déposa avec la loupe sur une desserte, à côté d'elle. Elle leur sourit cordialement en leur serrant la main, toujours assise, et les invita à prendre place près d'elle sur des chaises de jardin. Son accueil était des plus chaleureux ; tout le contraire de son attitude froide et distante lors de leur première rencontre.

— À cette heure, il n'y a jamais personne ici. Tout le monde participe à des activités organisées par le personnel ou s'occupe de mille et une manières. Moi, j'ai de la difficulté à marcher. Je me meus à une allure si lente et si laborieuse qu'il est préférable de limiter mes déplacements, expliqua-t-elle en montrant son déambulateur. Quand je vais chez mon petit-fils, je me rends en transport adapté. Avec l'âge, j'ai appris à ravaler mon orgueil.

Dumoulin lui adressa un petit signe de tête bienveillant. La vieille dame au regard lucide continua de papoter.

— Vous avez sans doute constaté ma condition, chez Tristan. Mais au moins, mes yeux sont toujours bons. J'adore la lecture, alors je ne suis pas malheureuse. Je passe beaucoup d'heures dans ce fauteuil ; je m'évade aux quatre coins du monde, souvent dans des pays que j'ai visités autrefois, quand j'étais jeune. Mon beau Tristan m'apporte des livres de nouveaux auteurs. Ça me rajeunit ! Vous comprenez, j'aime me sentir encore dans le coup, au moins en ce qui a trait aux idées !

Détendue, elle était volubile et aimable. Une métamorphose complète et salutaire pour un entretien que les deux enquêteurs avaient rigoureusement planifié. Ils comptaient sur elle pour faire la lumière sur des pans entiers de son histoire familiale qui soulevaient bien des questions jusqu'à présent.

Dumoulin prit ses aises et étira ses longues jambes jusqu'à la rambarde de fer, laissant apercevoir des sandales en cuir marron qu'il avait rapportées d'un long périple mouvementé au Mexique. L'air frais était bienvenu après plusieurs jours successifs de canicule. L'humidité était tombée tout comme la tension entre les deux enquêteurs et la grand-mère de Tristan.

Bertille sourit à madame Denault en la complimentant sur l'un de ses films qu'elle avait eu le privilège de visionner la veille, à la Cinémathèque québécoise.

— Vous êtes très gentille, madame Defoy. Vous aimez vraiment le cinéma ? demanda-t-elle, comme si elle voulait tester la policière.

— J'adore le cinéma et le théâtre ! répondit Bertille avec ferveur. J'y vais aussi souvent que possible. C'est pour ça que j'habite au centre-ville. Je peux décider de voir un film ou d'assister à un spectacle à la dernière minute. Dans notre métier, c'est souvent difficile de prévoir notre emploi du temps avec certitude.

— Ça, c'est vrai ! laissa échapper Dumoulin, fier qu'elle aborde les contraintes de leur travail.

Dumoulin était content de revoir madame Denault. Il savait qu'elle était intègre. Cela le changeait pour une fois. Dans le métier qu'il exerçait, les gens mentaient sans arrêt et pour toutes sortes de raisons, bonnes ou mauvaises. Il voulait que la vieille dame se livre à lui sans réserve parce qu'elle lui faisait confiance. C'était d'ailleurs l'intention de la grand-mère de Tristan : se libérer du poids du passé. Après avoir bavardé de tout et de rien, l'entretien formel commença d'une manière assez traditionnelle et technique.

— Pouvez-vous nous parler du défunt, de ses habitudes et de sa personnalité ? demanda le sergent-détective. De quoi vous souvenez-vous de lui et qu'est-ce qui pourrait nous aider dans notre enquête ?

La vieille dame déplaça ses petites mains tavelées aux doigts crochus. Elle repoussa des mèches de cheveux derrière ses oreilles et se mit à parler en pesant chacun de ses mots.

— Je n'irai pas par quatre chemins. Écoutez bien ce que j'ai à dire. Je ne le répéterai pas deux fois. J'ai besoin de tout mon petit change, comme on dit, alors soyez attentifs.

Elle se racla la gorge, essuya ses paumes sur ses cuisses et commença son récit :

— Un jour, alors que Juliette était encore préadolescente, Jonathan a demandé à ma fille de lui trouver une jeune Asiatique qui n'avait jamais couché avec un homme. Dans quel état mental faut-il être pour faire ça ? Et dire que ce n'était pas une blague. Je n'en revenais pas !

Dumoulin cligna des yeux et cacha son malaise avec difficulté. Ce genre d'histoire venait le chercher, le déstabilisait. Pourtant, il resta suspendu aux lèvres de madame Denault.

— Si ma fille refusait, il la menaçait de s'offrir leur propre fille, Juliette. Imaginez, la petite allait à l'école primaire ! C'était du chantage émotif. Lara m'a tout raconté un soir, en pleurant à chaudes larmes. J'étais hors de moi ! Outrée. Scandalisée. Et croyez-moi, ça m'en prend beaucoup pour l'être avec tout ce que j'ai vu dans le milieu où j'ai évolué. Lara était très sensible, elle avait une âme d'artiste. Cette demande tout ce qu'il y a de plus déplacée, sans la rouer de coups, sans lui laisser de traces physiques si je puis dire, l'a tuée moralement.

Dumoulin et Bertille se regardèrent, l'air consterné. Les affaires de mœurs étaient toujours dérangeantes. Comment un père pouvait-il se comporter de la sorte avec sa famille ? Proférer des menaces, demander à sa femme de lui trouver de jeunes vierges pour assouvir ses pulsions sexuelles... Cet homme n'avait-il donc aucune limite, aucune morale? Dumoulin savait qu'une fois qu'elle aurait ouvert les vannes, madame Denault ne pourrait s'arrêter. Elle était comme portée par un vague sentiment libérateur quand elle relatait ses pénibles souvenirs :

— Je le répète, j'étais hors de moi! Et je vous le confesse, je lui aurais fait la peau sur-le-champ, à ce salaud! J'ai essayé d'aider ma fille, mais en vain. Je crois que Lara n'a pas été capable de vivre le drame d'horreur qui se profilait au loin et dont les membres de sa famille auraient été à la fois les principaux acteurs et les premières victimes. Voilà pourquoi, d'après moi, elle s'est suicidée. Lara aurait aimé s'en sortir saine et sauve et empêcher le pire à ses enfants. Mais son état psychique – elle craignait pour sa vie – ne lui a pas permis de se bâtir une nouvelle vie et de prendre un nouveau départ.

Madame Denault but une gorgée d'infusion fraîche aux herbes sauvages, les yeux fixés sur les enquêteurs par-dessus le rebord de sa tasse. Elle essayait d'anticiper leur réaction. Elle déposa sa tasse en porcelaine sur la desserte.

— C'est l'éloge de la fuite, ajouta la grand-mère de Tristan avec une certaine exaltation. La fuite de la réalité par l'inéluctable fin, irréversible et bien avant le temps. Lara était encore jeune quand l'accident est survenu. J'en ai tellement souffert. J'ai compensé cette lourde perte en travaillant comme une folle. On peut dire que j'ai mis tous mes œufs dans le même panier. Jusqu'au jour où les Services sociaux m'ont demandé d'assumer la garde de Tristan, un jeune garçon si sensible et si spirituel.

Elle regarda le tourbillon de la rivière et tourna sa tête en direction des enquêteurs :

— Au moins, j'ai fait de mon mieux pour que Tristan survive à l'esprit troublé et à la sexualité déviante de son père. Je crois que j'ai assez bien réussi, confia-t-elle fièrement.

Bertille paraissait étonnée de la spontanéité de madame Denault. Elle avait pris des notes sur sa tablette, s'essuyant les mains sur son pantalon entre deux envolées oratoires de la grand-mère. Cette histoire familiale la touchait. Puis, le cœur serré, elle pensa : « Tellement de gens portent en eux un drame poignant sans qu'on s'en rende compte au quotidien. » Dumoulin prit tout son temps pour aborder le prochain point. Il se défendait de perturber la vieille dame. Après un long silence, il lui demanda enfin :

— Saviez-vous que votre petite-fille était à Montréal le soir où a été incendiée la clinique de son père ?

— Mais vous plaisantez ! rétorqua-t-elle, pour le moins étonnée par cette nouvelle. Je n'étais pas au courant.

— Pas le moins du monde? répondit Dumoulin.
On ne blague pas avec la vie des gens.

Un long silence suivit durant lequel la grand-mère
sembla communier avec son esprit, cherchant à évaluer
les conséquences de cette dernière information sur le cours
de l'enquête.

— Et si je me mets à votre place un instant, sergent-
détective, voici ce que je pourrais penser: à vos yeux,
Juliette est suspecte. Pourtant, vous lui avez déjà parlé,
non?

— Au téléphone seulement. D'autres policiers l'ont
interrogée à son arrivée à Montréal pour les funérailles
de son père. Nous n'avions pas cru au début qu'il était
nécessaire d'aller plus loin. Nous la rencontrerons demain
après-midi, au quartier général.

— Je vois. Maintenant, c'est une autre histoire,
n'est-ce pas?

— Oui, madame, on peut dire ça, répondit Bertille.

— Et je viens de vous fournir un mobile intéressant.

— Un mobile plausible, reprit Dumoulin. Il faudra
considérer cette hypothèse parmi d'autres.

C'est avec grande difficulté que madame Denault
essaya de retenir ses larmes. Bertille déposa sa tablette

numérique, se concentra sur la vieille dame et tenta de la consoler. Elle lui tapa doucement sur l'épaule pour l'apaiser et lui tendit un mouchoir en lui disant :

— Ne vous en faites pas, madame Denault, il y a sûrement une explication. Il y a toujours des explications.

— Mais ce ne sont pas toujours celles que l'on souhaite, conclut la vieille dame avec philosophie, le regard embué, le visage ravagé et l'humeur éteinte. C'est une histoire sans fin... Cet homme est une malédiction. On dirait qu'on ne va jamais s'en débarasser...

Quand Bertille reprit sa tablette numérique, madame Denault lui adressa un sourire reconnaissant et la salua amicalement. Les deux enquêteurs quittèrent la résidence pour se rendre à leur voiture, garée tout près du cours d'eau.

— Cette femme est extraordinaire, dit Dumoulin en montant dans le véhicule.

— Elle est solide et fragile en même temps, conclut Bertille. Et nous, on a du pain sur la planche. Si on commençait par ta belle Estelle ?

— Crois-tu que la secrétaire nous cache encore quelque chose ?

— C'est ce qu'elle fait depuis le début, pas vrai ? trancha Bertille en démarrant le moteur de l'auto. Je ne lui donnerais pas le Bon Dieu sans confession.

Dumoulin regardait au loin. La rivière, les vacanciers, l'avenir. Que lui réservait le futur ? Sur le chemin du retour, un orage éclata.

* * * *

« Que de jours perdus à suivre toutes sortes de fausses pistes », pensait le sergent-détective, assis avec Porter autour d'une table ronde, dans un coin de son bureau. Le jeune et ambitieux enquêteur avait enfin obtenu les relevés téléphoniques des principaux suspects, à partir desquels il espérait tirer des indices significatifs. Il était fier de dire que la fille de Jonathan Raza avait parlé plusieurs fois à son père avant l'incendie.

— On le sait depuis longtemps, déclara Dumoulin. Ce n'est pas du nouveau.

Il apprit au jeune collègue que Bertille avait déjà pris cette donnée en compte. Porter s'affola à l'idée de se faire damer le pion. Par une femme, en plus.

— Attends, répliqua-t-il. Ce n'est pas tout.

— Quoi ? demanda Dumoulin.

— J'ai une excellente nouvelle. D'après madame Balconville, une bonne voisine de la secrétaire qui a fini par s'ouvrir – il faut dire que j'ai mis le paquet...

— Aboutis, Porter, et ne me dis pas comment tu es parvenu à tes fins.

— D'après le témoin, la coquette Estelle Lavoine aurait reçu la visite d'une jeune femme, le soir de l'incendie. Autour de 20 heures, juste avant que madame Balconville se déplace vers le salon pour regarder son émission de télévision préférée.

— Tu as la description de la jeune femme ?

— Elle était d'origine asiatique. Mince, ses yeux étaient bruns, ses cheveux noirs remontés en une queue de cheval. Elle avait un beau visage et une belle bouche.

— Tu sais comment elle était habillée ?

— Une vraie photo de magazine, je te le dis ! J'ai la marque des vêtements, les couleurs et les accessoires. Tout le bataclan !

Voilà qui terminait bien une matinée. Dumoulin avançait, heureux, un pas devant l'autre. Il avait rendez-vous avec l'un de ses anciens coéquipiers maintenant à la retraite. Ils étaient aussi gourmands l'un que l'autre. Leur dîner allait certainement se prolonger. C'était sa façon à lui de s'évader momentanément et de prendre du recul pour mieux voir venir la suite.

* * * * *

Le lendemain matin, autour d'un café fumant, Bertille et Dumoulin rencontrèrent Porter. Ils avaient décidé de mettre leurs informations en commun au sujet du fils Denault. Celles-ci provenaient de sources sûres. Tout le monde avait mis son nez dans la vie de l'héritier, allant même jusqu'à recueillir des témoignages de ses amis et camarades d'université. Plusieurs mois avant son départ pour l'Europe, Tristan avait rencontré une fille qui ressemblait à l'étrange visiteuse accueillie par Estelle Lavoine, le soir de l'incendie.

— On dirait que tous les chemins se rencontrent, dit Bertille. Selon moi, ils mènent vers Estelle.

— Porter, essaie de savoir à qui le jeune Denault a fait des virements bancaires à partir du Vieux Continent, demanda Dumoulin.

— Il faudra aussi identifier la belle inconnue, dit Bertille.

— Oui, répliqua Porter. J'en sais déjà beaucoup sur son compte, mais il me manque l'essentiel : son nom, ses coordonnées, son statut.

Ils échangèrent encore quelques mots sur l'affaire et se dispersèrent. Bertille se sentait d'attaque pour aller questionner à nouveau la belle secrétaire à l'allure fauve. Elle avait déjà réservé la voiture de fonction.

Quand Dumoulin pénétra dans son bureau, elle lui montra ses clés en les agitant.

— Tu viens avec moi? On a rendez-vous avec ta belle madame. Rrr..., rugit-elle.

— Estelle Lavoine, Bertille, la coupa Dumoulin, Estelle La-voi-ne! Pas « ma belle ma-da-me »!

— Madame La-voi-ne, répéta-t-elle en détachant elle aussi chaque syllabe.

Arrivés chez la secrétaire de Jonathan Raza, les enquêteurs n'eurent pas besoin de sonner. La porte s'ouvrit et ils aperçurent le visage radieux de la maîtresse de la victime.

— Entrez, je vous en prie, insista Estelle Lavoine, vêtue d'une jupe courte et d'un corsage serré à encolure en V, laissant deviner la naissance de sa poitrine.

Bertille hésita un instant, puis s'engagea dans le vestibule, sur les traces de son coéquipier décidé à passer à travers sa liste de questions. Dumoulin savait parler aux gens, être à l'écoute et montrer de l'empathie. Il connaissait assez bien l'âme humaine. Pourtant, il n'arrivait pas à bien saisir Estelle Lavoine. Était-ce parce qu'il la trouvait attirante ou parce qu'elle leur cachait quelque chose d'important ?

Le sergent-détective s'assit à côté de la fenêtre dans un fauteuil à bascule, tandis que Bertille prit place à l'extrémité d'un canapé modulaire inconfortable. Madame Lavoine disparut dans la cuisine pour préparer un pichet de limonade. Depuis le début, Bertille se méfiait de cette séductrice un tantinet calculatrice. « Décidément, pensa-t-elle, cette femme est accro à la limonade ! »

À ce moment de la journée, le soleil entrait directement dans le salon. Estelle Lavoine revint avec un plateau qu'elle déposa sur la table à café. Dumoulin contempla son magnifique visage aux traits délicats, l'éclat de ses yeux noirs en amande et ses jambes fines. Elle s'avança près de lui tout sourire, lui versa un verre de boisson fraîche et le lui tendit en se penchant, révélant des formes d'une rondeur exquise. Rajustant sa jupe avant de s'asseoir, elle resta plantée directement devant le policier. Puis elle s'étala dans un pouf géant, rembourré de microbilles, laissant apercevoir son entrecuisse.

Bertille ne manquait rien de tout cela. Dumoulin se comporta en gentleman tout en préparant son assaut. Il complimenta Estelle Lavoine sur son intérieur et son bon goût en décoration.

— Je ne sais pas pourquoi vous êtes aussi préve-
nant avec moi, laissa-t-elle échapper en se grattant le côté
de la bouche.

On aurait dit une chatte se léchant les pattes, faisant sa toilette devant un spectateur sous le charme.
Dumoulin répondit par un simple sourire que Bertille
décoda comme : « Attends, ma fille, je vais faire chauffer
ton *bean bag*. Attends ! Quand je vais te pousser à fond,
tu vas réclamer un autre pichet de limonade ! »

— Madame Lavoine, nous savons que le Dr Raza
aimait les jeunes Asiatiques. Il aimait aussi beaucoup les
jeunes femmes qui le consultaient. En fait, il les aimait
trop... Pourquoi ne pas nous en avoir parlé ?

— Ce n'est pas le genre de propos qu'il est facile
d'ébruiter.

— Je vois... Pourtant, je vous rappelle qu'il s'agit
d'une enquête criminelle et que chaque détail a son importance. Vous voyez ce que je veux dire ?

Elle fit signe que « oui » tout en rougissant.

— Est-ce que l'une des patientes de votre employeur
aurait pu lui vouloir du mal... pour, disons, l'avoir laissée tomber après lui avoir fait la cour ? reprit le sergent-
détective.

Estelle Lavoine commençait à sentir la soupe chaude. Elle prit une gorgée de limonade glacée pour marquer une pause. L'effet fut immédiat; son esprit s'apaisa vaguement et son corps se détendit un peu.

— Que voulez-vous savoir au juste ?

— Vous souvenez-vous d'une patiente dont l'expérience pourrait correspondre à celle que je viens de décrire ? Une jeune femme qui aurait été la cible de Jonathan Raza ?

Madame Lavoine semblait prise au dépourvu, les yeux remplis soudainement de désarroi.

— Pourquoi ? grommela-t-elle en jouant avec ses bagues et en les faisant tourner toujours dans le même sens autour de ses doigts.

— Pouvez-vous nous la dépeindre ? insista le sergent-détective en relevant le menton, comme pour se placer au-dessus de la mêlée.

— Je me souviens de quoi elle avait l'air. Je l'ai vue à quelques reprises.

— Bon, eh bien, décrivez-nous cette jeune femme.

— Non ! protesta-t-elle. Nous étions amoureux. De quel droit pouvez-vous me demander ça ?

Comme si l'amour pouvait à lui seul tout justifier, tout pardonner. La bouche de Bertille s'ouvrit pour réagir à cette obstruction, mais n'émit aucun son. Elle choisit de se taire avant de gaffer, car elle savait que Dumoulin n'était pas dupe du jeu de la secrétaire. Le sergent-détective se leva, fit quelques pas dans la pièce, puis revint vers Estelle Lavoine, dominant la femme de toute sa hauteur. Les mains dans les poches, le regard sévère, il la bombarda de questions :

— Madame Lavoine, connaissiez-vous les fréquentations féminines du Dr Raza ? Parlez-nous de ses patientes ! Madame Lavoine, répondez à mes questions ou je vous emmène au quartier général de police et je vous jure que vous n'aimerez pas votre expérience de balade en auto avec nous, les mains attachées derrière le dos, comme une vraie criminelle !

— C'est le moins que l'on puisse dire, bluffa Bertille, l'air convaincant.

Totalement désemparée, Estelle Lavoine ne savait plus comment gérer la situation. Elle songea sérieusement à jeter l'éponge, à tout révéler. Sa réflexion se poursuivit durant de longues minutes. Il y eut un moment de flottement, puis Dumoulin repartit à la charge jusqu'à ce que la secrétaire de Raza cède enfin.

— Pourquoi ? dit-elle en pleurnichant. Pourquoi m'avoir abandonnée avec tout ce que j'ai fait pour lui ?

Après avoir versé des larmes, Estelle Lavoine répondit finalement à la question, au terme d'un long combat. Elle donna enfin le signalement d'une jeune femme qui aurait été en contact intime avec Jonathan Raza et l'aurait relancé à plusieurs reprises après qu'ils eurent rompu. Malheureusement, elle ne se souvenait pas de son nom, mais essaierait de le retrouver. La description physique de la suspecte collait avec celle du témoin :

• Cheveux droits noirs, yeux marron bridés.

• Pommettes hautes et rondes.

• Nez large et menton pointu.

• Visage clair et bouche gourmande.

Avant que les deux enquêteurs ne la quittent, Estelle Lavoine prit le soin d'ajouter un dernier renseignement :

— C'était une jeune femme désorientée au moment de sa première consultation. Elle avait rencontré Jonathan quand il était généraliste, dans une clinique sans rendez-vous, alors que j'étais sa secrétaire. Puis à nouveau, il y a deux ou trois ans. Elle s'était accrochée à lui comme une épave et ne voulait pas décoller.

— Et vous prétendez ne plus vous souvenir de son nom, continua le sergent-détective. J'ai pourtant un témoin qui dit l'avoir vue chez vous, le soir de l'incendie. Vous êtes sur le point de vous mettre les deux pieds dans les plats, madame Lavoine ! Évitez de vous placer dans l'embarras.

Réfléchissez aux conséquences... Vous avez ma carte. Vous savez où me joindre. Bonne journée, madame Lavoine!

Dumoulin et Bertille quittèrent aussitôt l'appartement de la secrétaire et se dirigèrent vers leur voiture. Le sergent-détective n'avait pas voulu faire perdre la face à madame Lavoine en l'attaquant de front, mais son intention avait été claire. Orgueilleuse comme elle l'était, elle l'aurait pris en grippe et aurait rué dans les brancards. En fin stratège qu'il était, il avait préféré lui laisser de la corde, juste assez pour se pendre, juste assez pour qu'elle ait l'illusion de le tenir en laisse. C'est qu'il comptait sur son témoignage pour clore l'enquête.

* * * * *

De retour dans son fief du centre-ville, Dumoulin s'efforça de revenir aux questions de base. En plus de ses enfants et de madame Denault, qui aurait pu vouloir du mal au médecin qui jouissait d'une grande prospérité, considérée avec envie par ses concurrents? Ses multiples liaisons amoureuses, tout comme ses pratiques médicales discutables, voire son manque d'éthique professionnelle, lui valaient sans doute de redoutables ennemis prêts à s'en prendre à lui.

Une autre possibilité lui apparut alors presque comme une évidence, et cette idée, loin d'être absurde, fit tilt dans son esprit: la secrétaire de Raza était de mèche avec lui. Elle sélectionnait et appâtait les victimes du médecin dont elle était passionnément amoureuse, s'assurant du même coup qu'il ne la laisserait jamais tomber. Elle connaissait celle qui avait mis le feu à la clinique. Sans être de connivence avec l'incendiaire, elle la protégeait peut-être pour ne pas se compromettre aux yeux de la loi. En fin d'après-midi, Dumoulin décida qu'il fallait agir vite. « Assez perdu de temps », se dit-il.

Bertille se présenta devant lui, trempée jusqu'aux os par un violent orage qui avait éclaté subitement.

— C'est en route pour le mandat d'écoute électronique de la belle madame Lavoine, annonça le sergent-détective à sa coéquipière. Les gars de la SIC ont parlé au juge. Ça ne devrait pas traîner.

Bertille sourit, secoua ses cheveux mouillés qui roulaient dans son cou et changea de sujet :

— C'est tout de même extraordinaire pour un médecin de se laisser aller à ce genre de déviance sexuelle. Des filles mineures, dans certains cas.

— Oui, mais pour moi, ce qui compte, c'est de trouver qui a tué ce type et qui a plongé un quartier aussi peuplé dans une grande insécurité.

— Tu crois vraiment que l'incendiaire a voulu se venger de Raza parce qu'il l'aurait laissée tomber ? Peut-être même après avoir pris sa virginité ? Ce n'est pas un peu mince comme mobile ?

— C'est tout ce qu'on a pour le moment.

— On a aussi la fille de la victime.

— C'est une autre piste, comme Estelle Lavoine et le jeune Denault.

— On est pris avec les Trois Grâces, ironisa Bertille. L'Allégresse, l'Abondance et la Splendeur. Je me demande qui tient le rôle de chacune : la secrétaire serait l'Allégresse, la fille de la victime, l'Abondance et la jeune inconnue, la Splendeur. Et le seul gars du groupe est un preux chevalier redresseur de torts !

« Ces quatre suspects semblent liés par un étrange destin », pensa Dumoulin.

— Pour moi, l'étau se resserre à coup sûr autour de ces quatre personnes, lança-t-il.

Dumoulin avait beaucoup d'espoir et le vent dans les voiles. Il se rendit au bureau de Pierre Troilo où une surprise l'attendait : cette chère madame Lavoine avait retrouvé la mémoire et transmis le nom de la patiente qui était sortie avec le médecin.

Chapitre 9

L'inflation du « je »

Le lendemain matin, toute l'équipe affectée à l'enquête avait été convoquée en réunion par Dumoulin. Les jeunes enquêteurs de la SIC marchaient sur des œufs parce que l'un d'entre eux avait gaffé en négligeant de valider les déplacements de Juliette Raza. En tant que responsable du groupe, Dumoulin voulait faire une importante mise au point.

— Je trouve qu'on aurait dû avoir une confirmation plus rapide au sujet de l'endroit où se trouvait la fille de la victime au moment de l'incendie, dit-il. Si on a des réunions, c'est aussi pour échanger de l'info. Et vous pouvez descendre quelques marches pour nous parler. Si je ne suis pas à mon bureau, essayez celui de Bertille.

— Toute l'information doit couler tout le temps, dans un flot continu, conclut-il au terme de la réunion express. Il faut empêcher les faux pas à tout prix. On est dans les ligues majeures ici, pas chez les débutants.

Dumoulin leva la séance et chacun retourna à ses occupations, rempli de bonnes intentions.

De retour à son bureau, le sergent-détective s'installa devant la fenêtre, songeur et préoccupé. Au loin, s'étendaient le fleuve Saint-Laurent, les ponts et les banlieues de la Rive-Sud. Héloïse était revenue de voyage et le couple ne se parlait pas beaucoup. Dumoulin avait l'impression que sa femme lui en voulait, mais c'est lui qui gardait ses distances. Pour leur premier souper en tête à tête, il lui avait préparé son repas préféré, des rognons de veau sauce Madère servis avec un vin rouge du sud de la France.

Ce soir-là, peu enclin à s'épancher, coincé dans une espèce de corset émotif, Dumoulin s'était contenté d'écouter sa femme. La discussion avait tourné autour de ses vacances : sa visite de Monticello, le magnifique domaine de Thomas Jefferson, troisième président des États-Unis, ses dégustations dans des vignobles rustiques qui avaient supplanté la culture du tabac et les ennuis mécaniques, au retour, de la Volvo hors d'âge de sa sœur.

Il regardait toujours dehors quand Bertille entra dans son bureau. Il revint brusquement au moment présent, à sa vie actuelle, aux solutions applicables ici et maintenant. Elle déposa un résumé des questions qu'elle avait planifiées pour l'interrogatoire de Juliette Raza. Puis, remontant le col de son polo, elle lui demanda :

— Tu veux jeter un coup d'œil à ce document ? Je pense qu'on a intérêt à vite comprendre ce qui se passe. Juliette Raza anime un blogue de discussion avec des femmes victimes de violence conjugale. Elle en sait assez long sur le sujet. Elle ne parle pas d'elle, car son approche est plus sociale qu'individuelle.

— Au moins, on sait maintenant qu'on a affaire à une personne qui aime défendre les faibles et les opprimés, répliqua Dumoulin. Quelque chose me dit cependant qu'elle ne nous dira pas tout, qu'elle mentira, qu'elle essayera de nous mener sur une mauvaise piste. On ne se fera pas faire le coup. C'est l'ABC de l'enquête. En tout temps, vérifier la validité, la conformité de ce que disent les personnes interrogées. Ne rien prendre comme une vérité absolue.

Puis il ajouta, en consultant le topo que Bertille avait préparé :

— Elle doit se douter qu'on la soupçonne. Je pense qu'on a devant nous un curieux personnage. On dirait qu'elle joue avec le feu. Oups ! C'est sorti tout seul !

Bertille ne releva pas le mauvais jeu de mots de son coéquipier, mais remonta ses sourcils en forme d'accents circonflexes.

— Tu as raison, Dumoulin. Juliette est un personnage difficile à cerner. Mais regarde-moi bien aller. On va la faire parler, j'en suis sûre et certaine ! Je monte à la cafétéria et te rapporte un café.

Dumoulin avait une confiance quasi aveugle en sa coéquipière. Convaincu que l'interrogatoire de Juliette Raza ne manquerait pas de mordant, il planifierait bien soigneusement ses interventions avec Bertille, comme ils en avaient l'habitude.

* * * * *

Juliette devait posséder un solide alibi pour se disculper du meurtre de son père. Le jour de l'incendie, elle était à Montréal, comme elle avait omis de le déclarer au jeune sergent-détective de la SIC, et non pas à Miami.

Lorsqu'elle sortit de l'ascenseur au cinquième étage du quartier général de la police, elle attira le regard des hommes qui pouvaient difficilement s'empêcher de l'observer. Sa présence remplissait l'espace, l'embaumait d'un parfum enivrant.

Dumoulin l'accueillit et la mena dans une salle minuscule sans fenêtre dans le but de l'interroger. Il souhaitait obtenir des réponses à plusieurs questions.

Juliette était tout en contrastes. Elle possédait un caractère qui tenait à la fois de la femme distante et guindée, et de l'adolescente *cool*. Distinguée, elle ne mâchait pourtant pas ses mots à l'égard de son défunt père. Son discours était véhément et elle insista pour dire que Jonathan Raza n'hésitait pas à manipuler les autres pour parvenir à ses fins.

Par chance pour la petite fille qu'elle avait été, les colères de son père avaient eu peu d'emprise sur elle, tout comme ses blâmes et ses tentatives de culpabilisation. Elle l'avait si souvent vu à l'œuvre avec sa mère qu'elle s'était forgé une carapace. Dès son plus jeune âge, elle s'était immunisée contre l'égocentrisme paternel. C'est en faisant preuve d'une grande capacité d'adaptation et avec beaucoup de résilience qu'elle avait survécu, bon an, mal an, à un environnement malsain. Tout le contraire de sa mère qui s'était laissée écraser par cet homme qui s'attendait à ce qu'elle fasse ses quatre volontés et satisfasse tous ses désirs.

Bertille notait les propos de Juliette et scrutait ses moindres gestes tout en tentant de faire des liens rapides avec l'enquête.

— Votre frère a tracé le même portrait de votre père que vous, déclara Dumoulin en avalant une gorgée de café chaud.

— C'est normal, puisqu'on a eu le même père. Par contre, lui il a eu la chance de passer une partie de son enfance avec mamie Denault.

— Ce qui n'est pas votre cas.

Juliette avait hérité du tempérament bien trempé et combatif de sa grand-mère. Forte et solide, elle ne s'en laissait pas imposer. En habile stratège, elle attendait d'avoir en main toutes les cartes avant de se commettre.

— J'ai toujours confronté mon père. Comme il acceptait difficilement qu'on s'oppose à lui, il m'a foutu la paix. Je l'ai contesté sur tous les plans. J'étais rebelle. C'était le seul moyen de lui échapper, croyez-moi. Il m'a même envoyée en internat au collège pour que je devienne plus docile.

Sûre d'elle, Juliette s'exprimait avec fermeté. Aussi, elle ne sembla pas du tout intimidée lorsque Dumoulin évoqua les motifs de sa visite impromptue à Montréal.

— J'ai encore des amis ici. La famille de mon fiancé, avec lequel je vis en Floride, habite à Montréal. Mon frère et ma grand-mère sont également ici. J'avais des détails à régler avec eux pour mon mariage. Et puis, je suis tout de même libre de mes mouvements !

— Vous avez raison, mademoiselle, mais vous avez aussi l'obligation de nous dire la vérité, objecta Dumoulin. Il s'agit d'une enquête criminelle et non d'une discussion durant une rencontre amicale. Vous ne voulez tout de même pas faire obstruction au travail des enquêteurs ! Et puis, je sais que les policiers vous ont déjà posé cette question, mais je vous la repose quand même : connaissez-vous quelqu'un qui aurait voulu du mal à votre défunt père ?

Visiblement, la jeune femme n'avait pas aimé le commentaire du sergent-détective. Elle croisa et décroisa les jambes, cherchant une position confortable sur sa chaise.

— Vous saurez que je ne suis pas comme mon père ! Je n'ai pas besoin de mentir et de transformer la réalité. Je suis impliquée socialement et j'aide les femmes à ne plus se voir en éternelles victimes !

— C'est excellent ! Mademoiselle Raza, êtes-vous venue à Montréal le 22 juin dans le but d'aider une femme en détresse ? Agissez-vous de la sorte avec toutes les âmes en peine ?

— Attention à ce que vous dites ! l'interrompit Juliette, apparemment choquée. C'est mon travail ! Je suis une blogueuse connue et réputée dans la communauté. J'ai une formation universitaire et je ne dis pas n'importe quoi.

— Alors c'est bien ça : vous êtes venue aider une femme. Et peut-on savoir qui est cette femme que vous deviez rencontrer ?

— Je n'ai pas son nom. Sur mon blogue, tout le monde écrit sous un pseudonyme, que ce soit en français, en anglais ou en espagnol.

— Aviez-vous déjà rencontré cette personne ?

Juliette Raza mit un doigt devant sa bouche en se reculant sur sa chaise. Bertille nota : « Son corps est bavard. Elle éprouve un malaise. » Juliette bougea à nouveau et déclara enfin, en appuyant ses mains contre ses cuisses :

— J'avais rendez-vous avec elle au Quai de l'horloge, dans le Vieux-Port. Mais elle m'a posé un lapin. Oui, elle m'a fait faux bond. En fait, je suis restée à l'attendre bêtement pendant deux heures. Ensuite, le frère de mon futur époux m'a raccompagnée à l'aéroport pour que je prenne mon vol de retour vers la Floride. Je suis revenue à Montréal pour les obsèques de mon père. J'ai déjà parlé à vos collègues. Demandez-leur de confirmer mes dires.

— Nous l'avons déjà fait. Vous ne leur avez pas parlé de votre visite inopinée à Montréal pour rencontrer une personne mystérieuse. À quelle heure votre beau-frère vous a-t-il fait monter dans son véhicule ?

— Il devait être environ 19 heures 15.

Avec la dernière réponse de Juliette, une idée vint au sergent-détective :

— Et pourquoi cette personne en détresse valait-elle un tel déplacement de votre part ?

Juliette prit son temps avant de répondre. Elle passa sa main dans son abondante chevelure lisse aux reflets bleutés. De toute évidence, quelque chose la gênait.

— Mon père aurait abusé d'elle, murmura-t-elle d'une voix soudainement teintée d'une mélancolie qui semblait émaner d'une part obscure de son être. Elle ne savait pas comment s'en sortir. J'aurais pu l'aider.

— C'est pour cette raison que vous avez appelé votre père à plusieurs reprises avant votre arrivée à Montréal ?

— Oui. Je voulais connaître sa version. J'aurais tellement voulu aider cette femme...

— Vous avez voulu la sauver en la rencontrant, en parlant avec elle ?

— Vous allez être surpris, sergent-détective, mais j'étais curieuse de voir à quoi elle ressemblait. Elle m'a dit qu'elle était eurasienne. Je me demandais si elle ressemblait à ma mère.

— Et après vous avoir fait faux bond, est-ce qu'elle vous a donné des nouvelles, fourni des explications ou envoyé des excuses ?

— Non. J'ai essayé de la contacter par mon blogue, mais elle ne m'a jamais répondu. Elle m'avait fourni un numéro de téléphone, mais je tombe toujours sur sa boîte vocale. Même chose pour son adresse courriel : elle ne me répond pas.

Dumoulin souleva un large sourcil et dit :

— Vous allez nous donner ses coordonnées.

Calmement, Juliette tendit son appareil à Dumoulin.

— Si vous me le demandez aussi gentiment, je ne vois pas pourquoi je m'y opposerais. Faites une copie de tout ce qu'il y a dans mon téléphone, sergent-détective. J'y conserve une foule de renseignements précieux pour mon boulot.

Bertille se leva, prit l'appareil et quitta la pièce. Elle trouva un technicien à qui elle demanda de copier en vitesse le contenu du téléphone. Elle revint aussitôt dans la salle d'interrogatoire et reprit sa place auprès de Dumoulin.

— Je vous avertis, le cryptage est hyper complexe, ça va vous prendre des semaines à trouver la source des messages, dit la jeune femme. Je peux partir maintenant ?

« Prétentieuse, va ! » songea Bertille qui se contenta de répondre :

— Nous avons de bons techniciens, ne vous inquiétez pas pour nous.

— Vous pouvez partir, mais je vous interdis de quitter Montréal, ordonna Dumoulin. On aura sûrement d'autres questions à vous poser.

— Vous n'êtes vraiment pas très techno, vous, les policiers. Aujourd'hui, on peut tout faire à distance.

Dumoulin ne put s'empêcher de répliquer à brûle-pourpoint :

— Comme mettre le feu à une clinique ? On peut aussi commanditer l'acte, comme on commandite des téléfilms, des événements sportifs ou culturels. Pas besoin d'être sur place. Tout peut se faire à distance, c'est vrai.

Un technicien frappa à la porte. Bertille sortit, discuta avec lui et revint en salle d'interrogatoire. Elle tendit le téléphone cellulaire à sa propriétaire qui montrait des signes de satisfaction.

— Une dernière question, si vous le voulez bien, demanda Dumoulin. Communiquez-vous de façon régulière avec votre frère Tristan ?

— C'est mon grand frère adoré. On est comme les deux doigts de la main.

Juliette se leva, salua les enquêteurs, sortit de la salle et se précipita aussi vite que possible à l'extérieur où pointait un soleil radieux. Les deux coéquipiers restèrent assis dans la salle, silencieux.

— Tu crois qu'elle nous a tout dit ? questionna Bertille.

— Tu sais que c'est rarement le cas. Je me demande pourquoi Juliette en fait autant dans cette histoire, pourquoi elle a tant voulu aider cette femme. Je ne crois pas qu'elle soit motivée par la simple curiosité. Il faut comprendre pourquoi elle s'investit autant. Mais on a besoin de preuves. Je vais demander à Porter de mettre la main sur les vidéos de surveillance du Vieux-Port.

« Chaque affaire est différente, songea Dumoulin. Malgré ce qu'elle prétend, Juliette s'avère incapable de cacher ses blessures causées par sa relation trouble avec son père. Cet homme avait une assurance démesurée et le mensonge comme seconde nature. Comment ne pas supposer qu'elle aurait eu envie de se venger de lui ou de venger sa mère ? »

Bertille comptait sur les techniciens pour l'exploration du contenu du téléphone cellulaire de la suspecte. Elle souhaitait qu'ils lui rapportent de quoi se mettre sous la dent. Juliette Raza restait dans la ligne de mire des enquêteurs.

* * * * *

19 heures. Les deux D s'étaient donné rendez-vous dans un bar à saveur californienne du Vieux-Montréal. Ils n'avaient pas l'habitude de pareilles sorties, mais devant l'insistance de Dumoulin, Bertille n'avait pas voulu le décevoir. Elle aurait préféré aller au cinéma. Un nouveau film belge des frères Dardenne venait de prendre l'affiche, mais elle reportera cette activité culturelle au lendemain. Dumoulin était tellement habité par la mort de sa fille. Il avait besoin de se confier à un proche.

— Tu en prends une autre ? proposa Bertille en désignant le verre de bière de son partenaire.

— Il ne vaut mieux pas, sinon il faudra m'envoyer chez moi en taxi, répondit Dumoulin.

— Tu n'as pas bu tant que ça.

— C'est ce que tout le monde raconte aux barrages durant le temps des Fêtes quand l'alcootest pète les 0,08. Et moi, je n'ai pas dormi de la nuit...

Bertille tenait l'alcool de façon étonnante. Elle leva son verre de whisky. Dumoulin trempa ses lèvres dans sa chope à bière et la reposa sur le comptoir en bois verni.

— J'espère que tu ne m'en voudras pas de te le demander, Bertille...

Sa coéquipière plissa le front qu'elle avait tout plat, menu et étroit, et entouré de cheveux hirsutes.

— Quoi ?

— Notre métier nous prend beaucoup de temps, tu es d'accord ?

Bertille fit signe que oui, tout en prenant une rasade de son scotch.

— Moi, j'ai souvent fait faux bond à Héloïse. La dernière fois remonte à nos dernières vacances. Elle les a prises sans moi. Tu ne trouves pas ça difficile, toi ?

— Bien sûr que si. C'est pour ça que je ne veux pas m'accrocher et sortir sérieusement avec un homme. La famille avec les deux enfants et tout le bazar, ce n'est pas pour moi.

— Comment t'en sors-tu ?

— Pas si mal jusqu'à maintenant. J'habite toujours seule et je n'ai pas d'enfants. De toute façon, pour la marmaille, on repassera, à mon âge.

Dumoulin parut soulagé. Depuis le temps que cette question le titillait !

Tout en savourant une autre rasade de son Single Malt, Bertille gratifia Dumoulin d'un regard complice.

— Que veux-tu savoir de plus ? Si je suis heureuse en amour ?

— Toi, tu sais tout de ma vie privée et moi, je ne sais rien de la tienne.

— Tu sais, je ne suis pas bien intéressante.

Dumoulin ne chercha pas à la contredire. Il haussa les épaules et dit :

— Tu sais, ça ne prendrait pas grand-chose pour que mon château de cartes s'effondre.

Puis, il ajouta :

— Si je continue comme ça, je vais perdre Héloïse et ça, je ne le prendrais pas. Qu'est-ce qui t'énerve, toi, dans notre métier ?

— Je n'aime pas beaucoup les homicides...

Un silence plana pendant lequel Bertille joua avec une mèche de cheveux qu'elle enroulait autour de ses doigts. Puis elle reprit :

— Tous les meurtriers sont pareils, ça m'énerve. Ils s'imaginent qu'ils vont s'en tirer.

— Et pourquoi tu ne les aimes pas ?

— Ils me font prendre conscience de ma propre fragilité. Ils aggravent l'idée de ma propre fin, de ma vie souvent sans perspective.

Leur conversation contrastait singulièrement avec l'ambiance festive du resto-bar. Un groupe d'employés, dans un coin, célébraient le départ à la retraite d'un camarade. Dans une section de la salle, des hommes à l'allure sportive, dans la vingtaine, fêtaient la fin du célibat de l'un des leurs.

— On n'est pas très gais, nous, ce soir, concéda Dumoulin, un sourire en coin.

— Et si on s'en allait ? proposa Bertille.

— On tire notre révérence ! Bonsoir, on a du travail demain matin.

En se levant, Bertille fut happée par une femme pompette qui l'avait reconnue de loin. La petite brunette lui ouvrit les bras et l'embrassa. Bertille était mal à l'aise pendant que Dumoulin assistait à la scène improvisée devant lui. Sa coéquipière semblait encore plus embarrassée par les propos déplacés de la fêtarde :

— Ça a l'air que tu as un nouvel homme dans ta vie ! Si tu veux le savoir, on a ramassé mon frère à la petite cuillère quand tu l'as laissé tomber pour ton juge. Mais il va mieux, il a refait sa vie avec Clara. Tu te souviens de la belle grande infirmière, sans poil sur le coco, pareille aux chats sphinx ? Vois-tu de qui je parle, Bertille ? Une copine à moi, bientôt ma belle-sœur. Ils vont se marier tous les deux.

La gêne momentanée de Bertille, qui se sentait prise en otage, était perceptible, tout comme l'étonnement de Dumoulin.

— Est-ce que c'est lui, ton Jules ? Je veux dire ton juge, demanda encore la cliente éméchée, en regardant dans la direction du sergent-détective. Tu les prends vieux, avec beaucoup d'argent. Hein ? C'est ça, Bertille. Hein ?

Dumoulin tira sa coéquipière par le bras pour l'emmener vers la sortie. Bertille n'offrit aucune résistance. Elle dévisagea celle qui avait sûrement dépassé les 0,08 de gramme d'alcool dans le sang et lui tourna le dos sans dire un mot. La femme continua de l'interpeler d'une voix discordante, tout en agitant les bras. On aurait dit un robot à la recherche d'une pièce de rechange ou d'un quelconque repère, complètement perdu dans l'espace.

En sortant du bar, il pleuvait des clous et les deux sergents-détectives n'avaient pas de parapluie. Par chance, la berline hybride de Dumoulin n'était pas garée très loin. En entrant dans le véhicule, ils secouèrent leurs vêtements trempés de pluie. Dumoulin actionna le dégivreur et les essuie-vitres de la Toyota.

— Merci de m'avoir tirée des griffes longues et recourbées de la méchante bête, dit Bertille avant d'éternuer bruyamment.

— On s'est toujours entraidés, nous deux. Je ne vois pas pourquoi ça changerait aujourd'hui, même si tu sors avec un juge.

Bertille lança un sourire à son cher coéquipier qui aurait bien aimé apprendre la nouvelle par elle plutôt que par personne interposée.

— C'est ta vie, ça te regarde. Un juge ou un boulanger, pourvu que tu sois heureuse. C'est ce qui compte après tout. Moi, je vais tenir ma langue, je te le promets. Mais franchement, tu aurais pu me le dire que tu sortais avec un juge... Un juge ! Tu es vraiment trop cachotière.

La circulation était fluide, l'atmosphère, détendue. Dumoulin raccompagna Bertille jusqu'au métro le plus proche et poursuivit son chemin sur l'autoroute Ville-Marie.

Chapitre 10

La dernière chance

Dumoulin ne lâcherait pas le morceau facilement. Il voulait connaître la vérité sur les circonstances qui avaient entouré la mort de sa fille. Il prit donc la décision de consulter, le jour même, le dossier de l'affaire non résolue. C'est ce qu'il fit en arrivant au bureau, un peu plus tôt que d'habitude.

Au cours d'un cambriolage qui avait mal tourné dans la résidence principale des parents de Enrique, dans l'arrondissement Ahuntsic-Cartierville, l'un des délinquants avait frappé Colombe à plusieurs reprises, dont sept fois au visage. Elle avait été laissée pour morte pendant plusieurs heures, « le temps que je reprenne connaissance et que mes parents arrivent sur place », lut Dumoulin dans la déclaration signée par le jeune Márquez, qui avait aussi été battu, mais qui s'en était tiré avec seulement quelques ecchymoses.

Les ambulanciers avait transporté Colombe à l'hôpital du Sacré-Cœur, afin qu'une équipe médicale en neurochirurgie pratique l'opération de la dernière chance. Elle n'y avait pas survécu et était morte des suites de ses blessures. Meurtre au deuxième degré, avait toujours cru Dumoulin.

En parcourant le dossier, le sergent-détective se dit qu'il aurait aimé que Colombe meure en paix et sérénité à un âge plus avancé. Qu'elle puisse exercer sa profession, trouver l'homme idéal pour fonder une famille et avoir des enfants. Bref, qu'elle ait connu un parcours marqué par des événements prévisibles. Mais Dumoulin avait assez vécu pour savoir que la vie, parfois sans grande inspiration, apporte son lot de malheurs et cause toutes sortes de perturbations autant morales que physiques.

Il se souvenait de ce que Colombe lui avait répondu quand il l'avait questionnée sur son amoureux : « Ne t'en fais pas, papa. Je sais où je m'en vais avec lui. Je l'aime et j'influence ses décisions. C'est un gars brillant qui voit la différence entre le bien et le mal. Grâce à moi, le mauvais garçon commence à changer et devient peu à peu le bon gars. Mais pas trop quand même, sinon je ne le reconnaîtrai plus ! Je suis attirée par les mauvais garçons... » Puis elle avait embrassé son père avant d'aller rejoindre celui qui l'avait conduite à sa perte.

Colombe avait essayé de ramener Enrique sur le droit chemin. Et elle avait réussi: le comportement du jeune homme s'était transformé. Or, la famille Márquez avait mis sur pied de petites entreprises qui servaient de couverture pour la vente d'armes. Enrique connaissait le trafic clandestin puisqu'il y prenait part à l'occasion. Les parents de Enrique avaient-ils eu peur que leur fils révèle leurs secrets de famille à Colombe, dont le père travaillait pour les services de police? Avaient-ils voulu l'effrayer, comme l'a laissé sous-entendre Tristan Denault? Et comment ce dernier avait-il pu envisager cette hypothèse?

Dumoulin continua de consulter le dossier tandis que son cerveau roulait à plein régime. Une incongruité lui sauta soudain aux yeux dans la chronologie des événements: si le jeune Márquez avait été légèrement frappé par les cambrioleurs, vu ses quelques ecchymoses, pourquoi avait-il attendu des heures avant de composer le 911? Enrique avait dit avoir perdu connaissance. Était-ce vrai? Avait-il attendu ses parents afin d'attacher tous les fils d'un scénario qui, à regret, avait basculé dans l'horreur? «Quelque chose cloche», bougonna-t-il en refermant le dossier.

Dumoulin se leva et sortit parler avec Bertille. Quelques minutes plus tard, elle donnait raison à son coéquipier.

— Quelqu'un a mal fait son travail, volontairement ou pas... Il y a anguille sous roche, je te l'accorde.

Dumoulin savoura sa première victoire dans une euphorie à peine dissimulée. Il se rapprochait du meurtrier de sa fille, qui constituait pour lui une menace publique.

* * * * *

La prochaine étape à propos de l'enquête sur l'incendie criminel se rapportait aux femmes qui avaient porté plainte au Collège des médecins contre le Dr Jonathan Raza et dont les initiales correspondaient à celles trouvées dans l'un des carnets. Les enquêteurs de la SIC avaient réussi à obtenir quelques informations :

- Yoshmi Uesugi habitait à Ottawa depuis sept ans. Mère de deux enfants, elle occupait un poste de technicienne en informatique dans la fonction publique fédérale. Elle était en vacances en Californie avec son mari quand l'incendie avait éclaté. Nul besoin de la convoquer pour l'instant.

- Sandra Le habitait à Laval. Elle était journaliste spécialisée dans les questions sociales et gagnait bien sa vie. Les enquêteurs voulaient la rencontrer.

- Marion Laennec partageait un appartement avec une copine à Montréal. Elle enchaînait les petits boulots pas trop prenants, ce qui lui laissait du temps pour étudier. Les enquêteurs avaient hâte de la rencontrer.

C'est Sandra Le qui avait été la plus facile à joindre. Dumoulin lui avait donné un rendez-vous le jour même.

— Elle est sûrement curieuse, avait déclaré le sergent-détective en réunion. C'est une journaliste, elle voudra savoir où on en est.

Dumoulin préparait son interrogatoire dans son bureau quand la sonnerie de son téléphone retentit. Il parla longuement avec le patron du Service des enquêtes spécialisées qui lui demanda de mettre la pédale douce et de ne pas soulever trop de poussière au sujet de ses récentes recherches sur l'affaire Colombe Dumoulin.

Bertille arriva dans le bureau de son collègue. À l'extérieur, en quelques minutes à peine, le ciel s'était complètement voilé, laissant poindre un orage. Bertille constata que son coéquipier était d'humeur belliqueuse. Dumoulin, dont le visage s'était empourpré après avoir raccroché, eut la conviction que quelque chose se tramait en haut lieu.

— Qu'est-ce qui ne va pas ? lui demanda Bertille.

Dumoulin resta muet tout en regardant sa coéquipière.

— Parle, Dumoulin ! Qu'est-ce qu'il y a ?

Ses épaules s'affaissèrent. Il se cala dans son fauteuil et prit une longue respiration.

— On dirait que l'une de mes hypothèses au sujet de la mort de Colombe n'est pas si mauvaise que ça, maugréa-t-il. Les parents de Enrique semblent avoir été impliqués dans l'affaire. On en reparlera plus tard. Sandra Le nous attend.

Les deux D se dirigèrent dans la salle où les attendait l'ancienne patiente de Raza. Elle était assise derrière une petite table ronde, une bouteille d'eau fraîche devant elle.

Cette charmante et volubile journaliste possédait beaucoup d'entregent. Elle pratiquait le journalisme d'enquête pour divers médias. La jeune femme aux cheveux noirs coupés au carré et aux yeux bridés parla abondamment de la sélection des sexes, phénomène qu'elle connaissait bien puisqu'elle avait rédigé une série d'articles sur le sujet.

Elle livra aux enquêteurs une foule de renseignements sur cette pratique inquiétante, qui faisait des dégâts dans plusieurs pays, et qui semblait se poursuivre au

Québec avec l'immigration. Selon elle, la sexo-sélection renforçait des préjugés sexistes à l'endroit des femmes et freinait leur émancipation.

— Certaines familles originaires notamment de la Chine ou de l'Inde, expliqua-t-elle, ont une préférence traditionnelle pour les garçons. Une fois mariées, les femmes issues de ces communautés – pas toutes, heureusement – sont soumises à de fortes pressions pour mettre au monde des garçons. Dans cet esprit culturel, se défaire d'un fœtus féminin pour tenter sa chance d'avoir un garçon n'a rien de condamnable.

— C'est ridicule! s'opposa Bertille avec énergie. Les femmes et les hommes sont pourtant égaux devant la loi.

— Je crois qu'on doit se méfier de l'effet de ressac à propos de la condition sociale des femmes, répondit aussitôt la journaliste. J'estime qu'un retour en arrière est toujours possible et qu'il peut se faire subtilement. L'égalité des femmes au niveau du droit, égalité acquise à grand-peine, ne se traduit pas toujours par une égalité dans les faits.

Femme de principe et d'esprit, Sandra Le avait porté plainte au Collège des médecins non pas parce que le Dr Raza pratiquait la sexo-sélection, mais parce qu'il avait outrepassé son rôle professionnel lors d'une consultation à son bureau dans une clinique sans rendez-vous.

Il lui avait demandé avec insistance si elle prenait la pilule contraceptive et si elle avait déjà fait l'amour.

— C'était complètement surréaliste. Je n'éprouvais aucun problème de santé et je ne voulais pas aborder cet aspect de ma vie avec lui. À cette époque, le Dr Raza était un médecin généraliste et j'étais allée le consulter pour un ongle incarné !

En portant plainte, Sandra Le avait voulu laisser des traces du manque d'éthique professionnelle du médecin. S'il s'était comporté ainsi avec elle, il aurait pu adopter le même comportement avec d'autres jeunes femmes, les intimider et peut-être même abuser d'elles. C'était tout à fait vraisemblable.

— Saviez-vous que sa clinique a été détruite par les flammes ? demanda Dumoulin.

La jeune femme répondit avec respect et courtoisie :

— Je travaille en information, sergent-détective. Je le savais de toute évidence. Mais pour être honnête avec vous, je n'aurais pas imaginé que vous puissiez aller aussi loin et aussi vite dans votre enquête. Vous avez déjà remonté jusqu'à moi. Sans vouloir vous flatter, je dois dire que vous m'épatez.

— C'est ce que je me dis en regardant les poches sous mes yeux chaque matin depuis plus d'un mois, chère madame, répliqua Dumoulin. Oui, on va pas mal vite ! ajouta le policier pour sauver les apparences.

La rencontre avait été profitable pour les deux D, qui pouvaient dorénavant concentrer leurs efforts sur la prochaine plaignante, Marion Laennec. Dumoulin était encouragé par la tournure des événements.

De retour à son bureau, il reçut un appel de Mathieu Porter qui lui apprit que des virements de sommes assez considérables avaient été effectués dans le compte bancaire de Marion Laennec, qui menait un grand train de vie. Il était impossible de savoir pour l'instant d'où cet argent provenait et pourquoi il lui avait été versé.

Porter croyait dur comme fer que Tristan avait payé Marion Laennec pour mettre le feu à la clinique de son père, alors qu'il était en Europe. De cette façon, le fils de la victime se disculpait et parvenait tout de même à ses fins. Dumoulin se montra prudent et évita les spéculations non fondées.

— Je ne veux pas sauter trop vite aux conclusions, lui avait dit Porter, mais un plus un, ça fait deux. Il faut dire aussi que les dates concordent... Je suis certain qu'il y a un lien entre le fils de Raza et Marion Laennec.

— C'est peut-être Jonathan Raza qui lui donnait cet argent pour la faire taire parce qu'elle le faisait chanter ? Un plus un, ça peut faire deux de cette façon aussi.

Attendons une confirmation des institutions financières. Bertille a déjà un profil financier assez complet du Dr Raza. Je vais lui demander de revoir le dossier avec toi.

Plus déterminé que jamais, Porter continuerait à creuser. Il savait être convaincant et obtenir en peu de temps l'information qu'il voulait.

De son côté, Dumoulin espérait conclure cette affaire bientôt, au moment propice pour faire les vendanges dans le cadre enchanteur des Cantons-de-l'Est. Il élaborait des plans en silence. « Je vais m'offrir des vacances sensationnelles ! Je ne boirai peut-être pas du vin des États-Unis ou de l'Europe, mais je dégusterai celui de Brome-Missisquoi dans mes vignobles préférés : Les Pervenches, l'Orpailleur et le Domaine du Ridge. » Il allait se régaler et festoyer à son tour pendant plusieurs jours. Et pourquoi n'inviterait-il pas Bertille durant un week-end ? Cela serait agréable, surtout que Héloïse s'entendait bien avec elle. Et il pourrait enfin rencontrer l'amoureux de sa coéquipière.

* * * * *

Marion Laennec n'avait pas l'air bien heureuse de se retrouver au quartier général de police, en cet après-midi. Le temps était frais, propice aux activités à l'intérieur, car un orage s'annonçait. Dumoulin attaqua avec les questions générales d'usage pour engager la prise de contact.

— Que faites-vous dans la vie, madame Laennec?

Marion travaillait à mi-temps dans une boutique de vêtements sur la Plaza Saint-Hubert. À partir de son domicile, elle exerçait aussi de petits boulots, ce qui lui laissait du temps pour suivre des cours et s'inscrire à des ateliers de développement personnel.

Malgré sa paralysie faciale du côté droit, Marion Laennec était une jolie femme aux traits fins dont la silhouette sculpturale faisait tourner bien des têtes. Mais son attitude hostile mit tout de suite les enquêteurs sur leurs gardes. Dumoulin lui posa plusieurs questions ouvertes, comme: «Pourquoi avez-vous porté plainte au Collège des médecins?» À cette question, la jeune femme se contenta de répondre: «Pour incompétence.» Le sergent-détective passa ensuite aux questions spécifiques nécessitant une réponse de type «Oui» ou «Non», comme: «Connaissiez-vous bien le Dr Jonathan Raza?» À cette dernière question, les yeux de Marion Laennec se voilèrent et elle esquissa une moue de dédain.

Elle avait l'air d'une femme dévastée qui s'entêtait dans son refus de collaborer avec la police. Dumoulin regarda son interlocutrice droit dans les yeux. Elle le dévisagea sans aucune gêne.

— Nous enquêtons sur la possibilité que vous ayez mis le feu à une clinique ayant appartenu à Jonathan Raza, dit-il.

— Qu'est-ce que vous voulez que ça me fasse? Le bon docteur a perdu sa clinique. Et puis?

— Est-ce que vous l'aviez déjà fréquenté dans votre vie personnelle? Je veux dire à l'extérieur d'une consultation médicale.

— Vous blaguez! Il aurait pu être mon père.

— Pourtant, la secrétaire du médecin se souvient de vous. Elle nous a donné votre nom.

— C'est sa parole contre la mienne.

— Revenons à l'incendie criminel du 22 juin, si vous le voulez bien.

La jeune femme semblait désintéressée et désorientée, complètement à côté de ses pompes. En plus de regarder distraitement autour d'elle, elle se montrait récalcitrante, brève dans ses paroles et peu coopérative.

— Qu'est-ce que vous voulez savoir? demanda-t-elle en mâchant ses mots, méprisante.

Elle tourna son regard noir vers Dumoulin. Un regard rempli de rage. Faisant flèche de tout bois, ces paroles creuses sortirent de sa bouche arrogante, presque cruelle :

— Il n'y a aucun secret qui tienne dans ma vie. Ce que vous cherchez, ce sont des vérités superficielles qui reposent à la surface des apparences. Vous ne comprenez rien. Vous vous contentez de lieux communs, sans connaître les gens. Vous croyez que votre jugement est sans faille. Détrompez-vous !

Le regard de Dumoulin se durcit et il secoua la tête, exaspéré. Un détail, ténu, s'insinua dans ses pensées, mais il s'efforça de camoufler sa réaction.

— Je suppose que je ne suis pas inculpée, affirma la jeune femme. Vous n'avez rien contre moi.

— Nous voulons connaître votre emploi du temps le 22 juin, entre 18 heures 15 et 18 heures 30. C'est durant ces quelques minutes que le feu a éclaté à la clinique de Jonathan Raza.

Un silence complet régna pendant de longues secondes au cours desquelles Marion Laennec ne bougea pas. Elle semblait élaborer un plan pour s'en sortir.

— Vous cherchez mon alibi ? J'en ai un : j'étais chez mon esthéticienne. Voulez-vous son nom et ses coordonnées ? Si vous n'avez rien contre moi, comme je le prétends, vous n'avez aucune raison de me retenir ici contre mon gré. J'ai répondu à vos questions.

Dumoulin lui tendit un crayon et un bout de papier afin qu'elle y inscrive les coordonnées de son esthéticienne. « Tu ne paies rien pour attendre », pensa-t-il. La jeune femme se leva, remit le papier à Dumoulin, marcha jusqu'à la porte, l'ouvrit lentement et disparut.

Plus tard dans la journée, Bertille émit un point de vue qui ne fit pas nécessairement l'unanimité parmi les membres de l'équipe d'enquête avec qui Dumoulin et elle discutèrent.

— Nous savons que Marion Laennec avait des raisons de vouloir du mal à la victime, mais nous n'avons aucune preuve incriminante jusqu'à maintenant.

— Tu penses quoi ? demanda le sergent-détective à sa coéquipière qui était agitée.

— Son comportement reflète un état d'esprit assez particulier. Elle divague, elle est instable. Nous devons la mettre sous écoute.

— Elle aussi ? répondit Dumoulin sans réfléchir.

— Pourquoi pas ?

Dumoulin appela Porter et lui demanda si le cyber-café d'où avait été envoyé le courriel de menaces à

Jonathan Raza était situé sur la Plaza Saint-Hubert. Porter le confirma. Dumoulin sollicita alors l'aide d'une équipe de filature pour savoir si Marion Laennec fréquentait ce lieu situé tout près de la boutique où elle travaillait.

* * * * *

Pierre Troilo, responsable du Service des enquêtes spécialisées, rencontra Dumoulin et le chargea de pousser à fond les jeunes enquêteurs de la SIC. Le Service devait conclure l'affaire dans les meilleurs délais. Selon lui, il fallait passer au peigne fin la vie et l'emploi du temps de Marion Laennec.

— Pourquoi l'avez-vous laissée partir ? demanda Troilo, bien assis dans son fauteuil ergonomique, alors que Dumoulin se tenait droit comme un piquet devant lui.

— On n'avait aucune preuve pour la retenir, encore moins pour l'arrêter. Je ne sais pas exactement en quoi consiste le lien entre cette femme et Raza, mais ils se connaissaient apparemment depuis des années, d'après ce que nous a appris Porter. Ils se seraient même fréquentés.

— Elle a donc menti.

— J'imagine qu'elle a eu peur. C'est ce qui pourrait expliquer son comportement étrange.

Dumoulin tentait de répondre du mieux qu'il pouvait aux questions de son patron.

— Dans le dossier de Marion Laennec du Collège des médecins, il est écrit qu'elle et le Dr Raza se sont connus avant l'ouverture de la clinique de la victime, ajouta Dumoulin.

— Si c'est elle la coupable, quel serait son mobile ?

— La vengeance ? Qui sait ? La jalousie, l'envie et quoi encore ?

Un long silence s'ensuivit. Troilo pivota dans son fauteuil, s'interrogeant sur l'issue de cette affaire. Il posa sur Dumoulin un regard perçant comme s'il essayait d'entrer dans sa tête.

— Et la secrétaire sous écoute, vous a-t-elle appris quelque chose de nouveau jusqu'à présent ?

— Non, rien.

— Bon. Concentrez votre énergie sur la jeune Laennec, mais ne lâchez pas la fille de la victime, Juliette, ni la secrétaire. Je crois qu'on nous cache de l'information. La comédie a assez duré. Faites cracher le morceau à la secrétaire. C'est elle qui connaissait le mieux le médecin. S'il le faut, impliquez davantage le jeune Porter dans la suite de l'enquête. Il vous servira. Il sait être convaincant, même si ses méthodes ne sont pas toujours tout à fait conformes.

— OK, on y va comme ça.

— Et poussez les autres jeunes à fond, toi et Bertille. Il faut qu'on trouve des preuves, tu comprends ? On est coincés, là. Il faut avancer.

— Des preuves trouvées durant une perquisition, par exemple ?

— Fais ce que tu as à faire, Dumoulin. Tu connais la chanson mieux que personne.

* * * * *

Plus l'enquête progressait, plus les enquêteurs approchaient du but. La cloche allait bientôt sonner le retour en classe et Héloïse, fébrile, avait hâte d'accueillir dans les prochains jours le personnel enseignant et les élèves de l'école qu'elle dirigeait. Évidemment, il y aurait plus de véhicules sur les routes, plus d'usagers dans le transport collectif, et plus de pression de la part de Troilo afin que l'enquête soit bouclée et que ses employés passent à autre chose.

Quelquefois, les nerfs tendus à rompre, Dumoulin se demandait pourquoi il s'était embarqué dans cette galère. Il avait l'impression de tout faire en double, car il cherchait deux coupables pour deux crimes différents.

Au cours de la semaine, une équipe de la GRC débarqua au quartier général du SPVM pendant que Dumoulin et Bertille faisaient le point sur leurs recherches. Noyés par le brouhaha général, les deux enquêteurs furent surpris quand les employés de la GRC fouillèrent le bureau de Richard Daviau. Ils lui confisquèrent ses effets personnels et les dossiers relatifs au meurtre de Colombe. Daviau quitta le quartier général et n'y remit plus les pieds.

* * * * *

Dumoulin avait travaillé fort au cours des dernières semaines pour triompher de l'angoisse qui le terrassait. À minuit, il se réveilla en sursaut et décida d'aller regarder la télévision au salon. Il n'arrivait plus à fermer l'œil. Héloïse s'en rendit compte et le rejoignit. Il fut étonné de l'entendre s'adresser à lui comme si de rien n'était. Sa voix était douce et aimable. Il en déduisit qu'elle n'était plus fâchée. Héloïse avait compris que son mari était désemparé et qu'il avait besoin d'elle.

Assis l'un à côté de l'autre, ils bavardèrent de tout et de rien. Puis, pendant de longues minutes, il lui raconta tout ce qu'il avait appris sur la famille Márquez. Dumoulin avait vécu à travers son enquête des pans complets de la tragédie de la mort de leur fille. Le sergent-détective avait reçu l'assurance que le SPVM allait rouvrir l'enquête. Quel soulagement pour le couple !

— Les mauvaises périodes finissent par s'en aller. Les personnes fortes les surpassent, affirma Héloïse.

Dumoulin aimait tellement sa douce moitié qui avait, selon lui, les yeux plus captivants que jamais. Il se détendit, mais comme un jeune amoureux inquiet, il avait besoin de savoir s'il comptait toujours pour elle.

— Mais bien sûr ! dit Héloïse, émue. Beaucoup de choses ont changé autour de nous. Notre fille est morte dans une effroyable tragédie et notre couple a battu de l'aile. Mais nous avons fait un voyage au Mexique qui, malgré tout, nous a rapprochés l'un de l'autre. Nous sommes chanceux, Jean-René : nous sommes ensemble ! C'est tout ce qui doit compter. Nous sommes ensemble pour nous soutenir. J'ai besoin de toi. J'aime vivre avec toi, cuisiner avec toi, boire du bon vin avec toi et rire avec toi. Aller à la campagne, sortir de la ville, contempler de beaux paysages, marcher en forêt, nager dans le lac, aller à vélo et faire du ski. Tout ça, avec toi ! Je t'aime, tu sais !

Impressionné par cette tirade, Dumoulin ne répondit pas, mais dans ses yeux, la joie éclatait. Héloïse lui fit l'amour tout doucement sur le tapis tressé du salon.

Chapitre 11

Devenir célèbre

En ouvrant son poste de télévision avant d'aller au lit, Dumoulin eut la surprise de sa vie lorsqu'il entendit un journaliste :

Les allégations visant le sergent-détective Richard Daviau sont si préoccupantes que la Gendarmerie royale du Canada est intervenue dans le dossier pour assister le Service de police de la Ville de Montréal. La GRC a mené une enquête secrète de sécurité nationale et a informé le SPVM qu'elle avait reçu des allégations d'une source confidentielle qui remettait en question l'intégrité du sergent-détective Daviau. Cette source de la GRC a prétendu que l'enquêteur fournissait de l'information à un trafiquant d'armes.

Évidemment, Dumoulin éprouva de la difficulté à s'endormir, cherchant longuement une position propice au sommeil. Il s'éveilla en sursaut au petit matin, pensant qu'il assaillait les responsables de la mort de Colombe. Il avait tout simplement enlacé Héloïse de ses deux bras. Elle s'étira comme un chat, puis replongea bien vite dans le sommeil.

* * * * *

Il fallait trouver des preuves contre la jeune Marion Laennec. Quel était son mobile ? Le temps passait et il manquait toujours un élément au tableau. Dumoulin et Bertille lisaient des rapports, compilaient des renseignements et établissaient la chronologie à partir de la déposition de la jeune suspecte.

Marion Laennec était bien allée chez son esthéticienne le soir du 22 juin, mais celle-ci ne corroborait pas tout à fait son alibi, puisque la suspecte était arrivée en retard à son rendez-vous. Or, le salon d'esthétique se situait à environ dix minutes de marche de la clinique incendiée. Marion Laennec aurait donc eu tout le temps nécessaire pour mettre le feu à la clinique et se rendre chez l'esthéticienne après coup.

Les enquêteurs qui travaillaient avec les deux D avaient recueilli des témoignages éloquents et beaucoup d'information ici et là. La mère de Marion Laennec avait été questionnée, de même que sa colocataire et la gérante de la boutique où elle travaillait. Les gars de la SIC avaient mis la main à la pâte dans une incroyable frénésie d'équipe et ils avaient fait une bonne récolte !

Dumoulin réunit le groupe pour faire le point sur la suspecte. Grâce aux témoignages recueillis, le sergent-détective résuma le contexte dans lequel le Dr Raza et Marion Laennec s'étaient rencontrés, il y avait plusieurs années. Il apporta aussi certaines précisions sur leur relation :

1. La suspecte attrapa le zona dans une oreille et consulta le Dr Raza qui ne reconnut pas le virus. La jeune femme consomma le mauvais antibiotique et le virus continua à se déployer, ce qui provoqua chez la suspecte la paralysie de Bell du côté droit de son visage.

2. La suspecte eut une relation sexuelle avec le Dr Raza alors qu'elle était vierge.

3. Le Dr Raza laissa tomber la jeune femme après plusieurs mois de fréquentation. Elle porta plainte au Collège des médecins du Québec contre le Dr Raza pour incompétence médicale.

4. Gravement ébranlée par l'abandon du Dr Raza, la suspecte souffrit d'une profonde dépression nerveuse. Elle consomma des médicaments, fréquenta des groupes de soutien, consulta des astrologues, des voyantes et des cartomanciennes.

La suspecte vivota, stagna et s'enfonça de plus en plus.

5. À cause de sa paralysie faciale, l'estime de soi de la suspecte descendit au plus bas. Elle dut faire une croix sur son travail dans l'industrie culturelle, milieu avec lequel elle voulait renouer, car elle avait été une enfant-artiste. Selon l'un des témoins rencontrés, elle devint obsédée par l'idée de se venger du médecin.

Quand Dumoulin cessa de parler, personne n'émit de commentaires. L'information présentée concordait avec les échanges qu'avaient eus les enquêteurs avec la mère de Marion Laennec, sa colocataire et sa patronne.

Bertille se leva et distribua à ses collègues une synthèse de l'enfance de la suspecte qu'elle avait élaborée à partir des témoignages recueillis auprès des proches de Marion Laennec. Bertille en fit la lecture à voix haute après avoir repris sa place à côté de Dumoulin.

Marion Laennec n'avait jamais eu la chance de jouer comme les autres gamins. Depuis qu'elle était toute jeune, cette enfant sage écoutait les consignes de sa mère, une femme obstinée et déterminée qui vivait sa vie par procuration à travers celle de sa fille et qui avait reporté sur elle ses rêves de devenir une danseuse étoile.

Cette femme exigeante aimait faire gagner des concours à la jeune Marion. Elle consacrait tous ses temps libres à faire de son enfant unique une vedette. Elle l'avait fait auditionner pour des spectacles et des apparitions à la télévision. Enfant-artiste, Marion avait figuré dans pas moins d'une quinzaine de messages publicitaires dont plusieurs avaient été repris au cours de campagnes successives.

La mère avait également traîné sa fille dans des compétitions de danse et des championnats. Elle cultivait un souci maladif du style, mettant des heures et des heures à habiller, maquiller, coiffer et faire répéter Marion, le soir après l'école et les week-ends. Elle voulait que sa fillette, toujours tirée à quatre épingles, soit belle et séductrice.

Selon la mère de la suspecte, une angoisse refoulée vers la fin de l'enfance fit un retour inattendu vers l'âge adulte et produisit chez la jeune femme un effet inquiétant. Elle connut alors plusieurs problèmes de santé.

— Voilà! dit Bertille. Avez-vous des commentaires?

Une question était sur toutes les lèvres: est-ce que la suspecte avait voulu se venger du Dr Raza, qui lui avait pris sa virginité et volé sa beauté, en mettant le feu à sa clinique? Mathieu Porter révéla le fond de sa pensée:

— J'ai toujours trouvé que le meurtre de Raza à cause d'une peine d'amour ne collait pas. On a tâtonné et exploré plusieurs fausses pistes. Avec cette histoire de mauvais diagnostic qui a envoyé en l'air la carrière d'une fille, j'entrevois un motif plausible. D'autant plus que cette fille devait subvenir seule à ses besoins et qu'elle n'avait plus sa belle petite gueule pour se trouver du travail. L'explication reste tout de même boiteuse sans un lien qui unit tout ça. C'est ce qui nous manque.

Cette position fit consensus chez les autres policiers réunis autour de la table.

— J'aimerais ajouter un point important, intervint Bertille. On a appris que le père de Marion Laennec a abandonné sa famille parce qu'il ne voulait pas de fille. La mère de la suspecte a longtemps gardé ce secret pour elle. Le père, qui était d'origine chinoise, a levé les pattes quand il a connu le sexe de l'enfant que sa conjointe portait. Cette dernière n'a jamais cherché à le retrouver. Or, Raza pratiquait des avortements liés à la sexo-sélection. Si Marion Laennec l'a découvert, ça lui a fourni un motif de plus pour vouloir assassiner Raza.

Dumoulin et Bertille échangèrent un regard complice. Le profil psychologique de Marion Laennec collait assez bien avec l'analyse de la Dre Annie Tessier. Les deux coéquipiers étaient satisfaits du travail accompli et de la réaction de l'équipe. Les enquêteurs privilégiaient la thèse de la vengeance.

* * * *

Munie d'un mandat de perquisition émis par un juge d'instruction, une équipe d'enquêteurs et de policiers débarqua à l'appartement que Marion Laennec partageait avec une copine sur le Plateau-Mont-Royal. Quand la suspecte ouvrit la porte aux policiers, Dumoulin lui présenta son badge et le document l'autorisant à entrer chez elle. De mauvaise humeur et visiblement choquée, elle lui demanda : « Qu'est-ce que vous venez foutre ici ? » en affichant toujours le même air pincé.

L'appartement était fidèle à l'idée que Dumoulin s'était faite de l'intérieur d'une fille instable : fouillis incroyable, malpropreté, meubles brisés et réduits au strict minimum, odeurs d'humidité et de renfermé. Les sept pièces nichées au-dessus d'une animalerie furent passées au crible. Malheureusement, l'équipe ne trouva pas grand-chose d'intéressant, mais rapporta au quartier général quelques vêtements, des accessoires et le disque dur d'un vieil ordinateur.

Avant de quitter les lieux, Bertille décida d'investir la chambre à coucher désertée par les policiers. Elle eut un flash en voyant sur une petite étagère une collection d'objets qu'elle avait remarqués chez le Dr Raza : des daruma, figurines japonaises de forme arrondie. Marion Laennec en possédait quelques-unes. Mais un seul personnage au visage moustachu avait deux yeux. Bertille confisqua toute la collection à des fins d'analyse. « Le hasard fait parfois bien les choses », pensa-t-elle.

En arrivant au quartier général, la policière naviga sur Internet afin d'en connaître davantage sur les figurines, symboles de persévérance. Elle savait déjà que l'utilisateur du daruma employait de l'encre noire pour dessiner la pupille circulaire du premier œil en formulant un vœu, qu'il entreposait ensuite la figurine en hauteur dans sa maison jusqu'à ce que le souhait se réalise et qu'alors seulement, il dessinait la seconde pupille. Bertille se souvenait aussi d'avoir lu que la forme particulière de la figurine ainsi que sa masse lui permettaient de toujours se remettre bien droite, quelle que soit sa position initiale. Qu'allait révéler l'analyse des figurines en laboratoire ?

De son côté, Dumoulin se dirigea vers le bureau de Porter qui n'avait pas pu se joindre à eux pour la perquisition. Bien entendu, ils échangèrent des impressions et quelques renseignements relatifs à l'affaire Raza.

— Est-ce que les policiers ont saisi les vêtements dont je t'avais parlé, Jean-René ? Tu sais, les vêtements décrits par la voisine de madame Lavoine ?

— Oui, ils sont tous au labo. J'espère que l'analyse va donner quelque chose. J'en doute cependant parce que, depuis le temps, ils ont probablement été lavés.

— Penses-tu que Marion Laennec a utilisé Juliette Raza avec l'intention de créer une fausse piste ? demanda Porter, toujours assis devant son ordinateur.

Juliette avait été incapable de fournir un alibi irré-futable au moment où le feu avait éclaté à la clinique de son père. Trop de touristes étaient passés à proximité des vidéos de surveillance du Vieux-Port. À aucun moment on n'apercevait la jeune femme. C'était soit parce qu'elle n'y était pas, soit parce qu'elle était dans un angle mort de la caméra.

— Je pense que Juliette et Tristan se sentent telle-ment coupables de la mort de leur mère et du comporte-ment dégueulasse de leur père, qu'ils sont prêts à mentir pour sauver la personne qui a mis le feu à la clinique de leur père, expliqua Dumoulin, toujours debout devant son partenaire de la SIC.

Au cours d'un deuxième entretien entre Dumoulin et Juliette, cette dernière avait fini par avouer que la femme qu'elle devait rencontrer s'appelait Marion Laennec et que c'est elle qui avait choisi l'endroit et l'heure du rendez-vous.

— Qu'est-ce que la filature a donné? demanda Dumoulin.

— Comme on s'y attendait, Marion fréquente le cybercafé de la rue Saint-Hubert. C'est mieux que son vieux PC que vous avez rapporté.

— Et du côté des institutions financières, as-tu trouvé quelque chose?

— Oui! dit fièrement Porter. Marion a reçu des virements sur son compte bancaire. Ils correspondent à ceux effectués par Tristan. Mêmes comptes, mêmes numéros, mêmes montants. Le médecin n'a rien à voir là-dedans.

Cette affaire allait plus loin maintenant. Les pièces se mettaient en place les unes après les autres et commençaient à constituer un ensemble assez cohérent. Porter avait enfin réussi à recueillir le témoignage du témoin oculaire de la scène de crime. La mère d'une trentaine d'années avait aperçu, en marchant dans la ruelle avec son fils, une jeune femme qui avait fait le tour du pâté de maisons – elle avait donc vu la voiture de Jonathan Raza – avant de s'accroupir près d'une fenêtre au sous-sol de la bâtisse. Selon la description du témoin, la jeune femme était une belle Asiatique. Elle n'avait fourni aucune autre précision.

Cette dernière hypothèse laissa Dumoulin perplexe parce qu'il ne comprenait toujours pas les motivations de l'incendiaire. Il félicita tout de même son jeune collègue, en lui tapant sur l'épaule.

— Bien joué, Porter ! C'est ce dont on avait besoin depuis longtemps.

* * * * *

En fin d'après-midi, les membres de l'équipe tinrent une réunion. Les preuves s'accumulaient sérieusement contre Marion Laennec. En fouillant dans la vie de Tristan, Bertille et Porter avaient découvert que le jeune héritier avait déjà fréquenté Marion. Mathieu Porter résuma leur histoire :

— Tristan rencontre Marion. Ils tombent amoureux l'un de l'autre. Ils se racontent leur vie, leur enfance brisée. Tristan veut sauver Marion. Il souhaite qu'elle retrouve sa dignité. Tristan suggère même à Marion de visiter le blogue de Juliette pour qu'elle l'aide, sans spécifier qu'il s'agit de sa sœur. C'est de cette manière que le dialogue s'établit entre les deux femmes. Et il s'interrompt brusquement, peu de temps avant l'incendie.

Bertille poursuivit :

— Tristan et Marion suivent une série d'ateliers de psycho pop dans un petit local de la Plaza Saint-Hubert.

Pour se réconcilier avec leur enfant en soi et pour faire la paix avec leur passé. Un truc du genre. D'après le thérapeute du groupe à qui j'ai parlé, ils se sont fréquentés pendant plusieurs mois, jusqu'à ce que Tristan découvre avec effroi que le méchant dans l'histoire de Marion – dont il était éperdument amoureux et avec laquelle il voulait faire sa vie – était son père. Incapable d'affronter le grand bouleversement qui s'annonçait, Tristan aurait eu besoin de recul.

— Que fait Tristan alors ? demanda Porter à ses collègues. Il part en Europe après avoir dit à Marion de mettre le feu à la clinique de son père. De cette manière, il a un alibi solide pour se disculper. Comme il est l'unique héritier de son père, il avait intérêt à le voir disparaître. Il pouvait supposer que sa sœur n'aurait rien.

— Attention, Mathieu, rétorqua Bertille. Je ne crois pas à la complicité de Tristan. Ça ne colle pas du tout avec sa personnalité.

Dumoulin sembla perplexe. Ils tenaient la coupable de l'incendie criminel prémédité du 22 juin, mais avait-elle des complices ? Si oui, qui étaient-ils ? Même si les preuves suggéraient une complicité des enfants de la victime, leur mobile serait la vengeance.

CHAPITRE 12

Le triangle du feu

À son arrivée dans la salle d'interrogatoire, Marion Laennec se vit offrir un siège bancal sans bras. Dumoulin prit place sur une chaise pliante, tandis que Bertille entra quelques minutes plus tard, un café dans une main, sa tablette numérique dans l'autre, prête à prendre la déposition de la suspecte.

— Bon, commença Dumoulin, je voudrais savoir qui vous êtes vraiment.

— Vous voulez savoir si j'ai déjà tué quelqu'un ? répliqua la suspecte, hargneuse.

Elle adressa à Dumoulin un sourire à la fois un peu cruel, un peu effrayant et un peu suffisant, tout en donnant un coup de tête à droite pour repousser une mèche de cheveux.

— Comme la plupart des gens, j'ai déjà imaginé que je tuais ma mère. Mais il n'y a jamais eu de passage à l'acte, comme on dit dans le jargon des psys.

Elle riait, se moquait de tout et de Dumoulin surtout, l'homme, le père, le phallo. Elle prenait son temps pour répondre aux questions, comme pour mieux choisir ses mots, dans une rare économie de gestes. Ses réponses étaient vagues. Bref, elle adoptait le comportement caractéristique de quelqu'un qui cache quelque chose.

— Combien de temps a duré votre relation avec Jonathan Raza? Étiez-vous mineure quand vous avez commencé à le fréquenter?

Marion Laennec arbora de nouveau son sourire de loup et adopta une attitude des plus étranges.

— Vous me prenez de court! s'exclama-t-elle, froide comme la glace.

— Commençons par la première fois que vous avez rencontré le Dr Raza.

— Je vous l'ai déjà dit. Il ne s'est rien passé.

Marion s'entêtait à cacher la vérité. Dumoulin émit un léger soupir. Elle le dévisagea un instant et prit un air agressif, sans rien dire.

— Vous l'avez bien consulté pour un problème de zona dans l'oreille ?

— Si vous le savez, pourquoi me le demandez-vous ? Vous aimez perdre votre temps et me faire perdre le mien.

— Réfléchissez bien, parce qu'il s'agit d'un homicide et pas seulement d'un incendie criminel.

Marion Laennec fut secouée par une sorte de rire nerveux, mais nia encore une fois toute implication dans l'incendie.

— Que faisiez-vous le 22 juin dernier ?

— Vous ne pouvez rien prouver. Rien de rien. Mon esthéticienne, mon prof de programmation neurolinguistique et ma psy vont jurer que j'étais avec elles. À tour de rôle.

— Alors on va les inculper de parjure et d'entrave à la justice, madame Laennec. On a un témoin qui vous a vue mettre le feu à la clinique, et, pas de chance pour vous, il vous a reconnue sur Facebook. Et votre esthéticienne ne peut vous couvrir. Elle nous a avoué que vous étiez arrivée en retard à votre rendez-vous. Aussi, on a un autre témoin qui vous a vue entrer chez madame Lavoine. Est-elle votre complice ?

Le coup avait porté. Le silence s'éternisa pendant de nombreuses secondes au cours desquelles Marion

Laennec cherchait sa réplique. Elle avait blêmi et perdu un peu de son assurance. Dumoulin sourit discrètement. Il soupira, puis lança :

— Je sais qu'en juin dernier, vous avez réalisé l'un de vos grands rêves, celui de vous venger du Dr Raza. C'est pour cela que vous avez tracé le second œil à votre daruma. Selon notre labo, l'encre noire que vous avez utilisée remonte à environ deux mois, ce qui coïncide avec le moment de l'incendie.

La suspecte se mordit la lèvre inférieure. Dumoulin prit une gorgée de son café et laissa planer le silence. Marion Laennec n'avait même pas ouvert la bouteille d'eau qu'on lui avait remise en entrant dans la pièce. Elle préparait avec soin ses prochaines répliques. Bertille avait l'impression que la suspecte allait bientôt flancher sous le poids des faits que lui avait révélés le sergent-détective. Gagner du temps. Il fallait gagner du temps pour la faire craquer.

— Êtes-vous prête à nous dire ce que vous faisiez le 22 juin dernier ? répéta Dumoulin en martelant ses mots.

— Si vous croyez que vous allez me faire avaler n'importe quoi, vous vous trompez. J'en ai assez de vos petits sourires triomphants et de vos préjugés de vieux macho ! cria-t-elle. Je veux que ce soit elle qui m'interroge, dit-elle en pointant Bertille du doigt.

La sergente-détective nota la position du corps de Marion : « Son torse est plié en avant, comme recroquevillé. Elle prend sa tête entre ses mains. La vérité est lourde à porter. »

Au grand étonnement des deux enquêteurs, la suspecte remonta lentement son torse, toujours assise sur la chaise, et déclara d'un ton ferme :

— Quelqu'un a fait ce que je rêvais de faire. Si j'étais coupable, je l'aurais fait souffrir bien plus longtemps, ce salaud ! Qu'il brûle en enfer ! Durant des années, j'ai eu mal à cause de lui. J'ai accepté des emplois minables et il m'a plaquée rien que pour garnir son tableau de chasse.

— Il y a donc eu des confrontations entre vous deux. Il vous a fait de la peine.

— C'était un chien sale. Est-ce que c'est assez clair ?

Le sergent-détective décida de pousser la jeune femme dans ses derniers retranchements.

— On a enquêté sur vous, madame Laennec. On sait que votre alibi n'est pas solide. On sait aussi que vous étiez en contact avec Juliette Raza, la fille de la victime, et que vous deviez la rencontrer le 22 juin. Pourquoi ne vous êtes-vous pas présentée au rendez-vous que vous lui aviez fixé ? Parce que vous avez mis le feu à la clinique de son père ?

— Si vous avez des preuves, arrêtez-moi, dit-elle de façon théâtrale et en mettant ses deux mains devant elle, prête à se faire passer les menottes.

— C'est Tristan qui vous a incitée à mettre le feu à la clinique de son père? On sait qu'il vous a transféré de l'argent à partir de l'Europe. Vous n'êtes pas obligée d'assumer toutes les charges, vous savez. S'il était votre complice, vous pouvez nous le dire maintenant. Il n'est pas trop tard.

Marion Laennec ne broncha pas. Elle regarda Dumoulin droit dans les yeux.

— Vous ne comprenez rien! Avec Tristan, c'était l'amour avec un grand A, jusqu'à ce que je découvre qu'il était un Raza, lui aussi.

— Pourquoi vous a-t-il fait parvenir de l'argent?

— Tristan savait que j'avais de la difficulté à joindre les deux bouts. J'en avais parlé sur le blogue de Juliette. Tristan était l'amour de ma vie et je l'ai perdu.

— Pourquoi avoir voulu tant de mal au Dr Raza?

— Je veux un avocat! Un avocat commis d'office, comme on dit dans les films français. Un avocat de l'aide juridique.

210

Bertille n'avait jamais assisté à un tel revirement de situation. La suspecte était plus coriace que les deux D l'avaient imaginé. Marion Laennec était assez maligne. Malgré tous les soupçons qui pesaient sur elle, elle savait que les autorités policières ne pouvaient, à ce stade-ci, la retenir plus longtemps contre son gré.

* * * * *

Le lendemain matin, Bertille était en pleine forme. Sa joie de vivre communicative déteignait sur Dumoulin depuis plusieurs jours, d'autant plus qu'ils se rapprochaient de la fin de l'enquête.

Assise en face de son coéquipier, dans une nouvelle chaise toute neuve et confortable, Bertille échangeait avec lui :

— Selon les psychologues, le feu est un symbole érotique, avança-t-elle.

— Et puis ?

— J'ai lu que la combustion ne peut avoir lieu que si l'on réunit trois facteurs : des composés chimiques, un combustible et un carburant, et une source d'énergie.

— C'est ce qu'on appelle le triangle du feu. Tu penses à Estelle Lavoine, au Dr Raza et à Marion Laennec ?

Dumoulin et Bertille avaient passé à travers les enregistrements des échanges téléphoniques des suspects qu'ils avaient fait mettre sur écoute. Les propos qu'ils avaient recueillis étaient assez instructifs et révélaient la vraie nature d'Estelle Lavoine et de sa relation avec le défunt.

Depuis la mort de Raza, la secrétaire du médecin soupçonnait Marion Laennec, car son patron lui avait mentionné qu'il avait reçu, un mois avant sa mort, de nombreux courriels de la jeune femme, et ce, plusieurs fois par semaine. Estelle Lavoine avait minutieusement détruit ces messages de nature accablante pour protéger la réputation du médecin. Mais elle avait eu le malheur d'en parler au téléphone avec sa meilleure amie et avec son frère. Une erreur qui allait lui coûter cher.

Dumoulin et Bertille avaient aussi découvert qu'Estelle Lavoine avait parlé à Marion Laennec, quelques jours avant l'incendie. Elle lui avait dit que Jonathan Raza était à New York pour affaires. Les enquêteurs supposaient donc que la mort du médecin n'avait pas été préméditée, mais que l'incendie, lui, avait été planifié.

Les deux enquêteurs se demandaient même si Estelle Lavoine n'avait pas tout manigancé, car des contradictions émergeaient dans son discours. Chose certaine, aucune des deux femmes ne voulait endosser la responsabilité de la mort du Dr Raza.

En secouant un peu le voisinage du médecin, Porter apprit que Marion Laennec avait été vue plusieurs fois traînant dans l'immeuble où résidait la victime, peu avant son décès. Deux copropriétaires avaient été formels en voyant une photo de la suspecte : il s'agissait de la même jeune femme. Avait-elle voulu le reconquérir ?

* * * * *

La jolie secrétaire arriva en sueur au quartier général. Elle s'excusa pour son retard en regardant sa montre. Bertille et Dumoulin l'attendaient dans une salle d'interrogatoire. Ils n'étaient pas du tout contents de l'avoir attendue pendant presque une demi-heure au cours de laquelle ils avaient discuté de l'enquête. Bertille avait même eu le temps de vérifier certaines informations dans une banque de données et Dumoulin d'avaler deux cafés.

Une fois assise, Estelle Lavoine regarda timidement les deux enquêteurs. Jusqu'à maintenant, elle n'avait pas réussi à être écartée de la liste des suspects. Elle avait tant de raisons de désirer se venger du médecin. Dumoulin voulut rattraper le temps perdu.

— Dites-nous tout ce que vous savez, madame Lavoine. Depuis votre première rencontre avec Marion Laennec. Je veux la version complète, pas seulement un résumé. Pas votre interprétation de la réalité, non plus. Je veux des faits. Ce qui est arrivé concrètement. Tous les détails. Nous avons tout notre temps. Nous savons que vous étiez de mèche avec le Dr Raza pour assouvir sa soif de jeunes femmes. Mais jusqu'à quel point, ça, nous l'ignorons.

« Être de mèche... Décidément, je deviens poète ! » se dit Dumoulin. Il se cala dans sa chaise et attendit en jetant un regard furtif à Bertille, assise à ses côtés, puis à Estelle Lavoine, qui était en face de lui. Cette dernière prit un air faussement prude de victime.

— Chaque fois que j'ai voulu dire à Jonathan que je ne voulais plus être sa complice, il arrivait à me faire changer d'avis en menaçant de me quitter. Je m'enfonçais davantage, marmonna-t-elle d'un ton pleurnichard.

— Je ne vous demande pas de vous trouver des excuses ou des justifications, madame Lavoine. Je veux la vérité ! Arrêtez de nous mener en bateau. C'est assez !

Leurs regards se croisèrent un instant. La secrétaire ne jouait plus la carte de la séduction. L'éventail de ses jeux de rôle se refermait peu à peu. Dumoulin comprit qu'il tenait quelque chose et poursuivit son interrogatoire à la douce, sans trop faire de vagues.

— Que me promettez-vous en échange de la vérité ? dit madame Lavoine en tournant ses bagues diamantées.

— Qu'est-ce que vous entendez par là ? répliqua Dumoulin, franchement étonné.

Personne ne dit rien pendant un bon moment. Le sergent-détective regarda Bertille qui lui fit signe de continuer. Estelle Lavoine se tortillait sur sa chaise tout en prétendant qu'elle ne savait rien au sujet de l'incendie criminel.

— Voulez-vous collaborer avec nous ? demanda le sergent-détective. Très bien, dit-il devant son silence. N'oubliez pas, les accusations que nous pouvons porter contre vous sont graves.

Estelle Lavoine semblait effondrée. « À quoi joue-t-elle au juste ? » songea Bertille.

Soudain, reprenant son sang-froid, prête à assumer les conséquences de ses actes, la secrétaire décida de tout raconter. Tout, dans le moindre détail, sans jouer à la femme qui a été manipulée.

Le sergent-détective avait déjà compris que son rôle dans la sélection des jeunes femmes assurait la pérennité de sa situation privilégiée auprès de Jonathan Raza. Il ne savait pas cependant que ce rôle était associé aux daruma. Ces petits objets amusants permettaient au médecin de chasser méthodiquement, grâce à sa secrétaire, une jeune femme à la fois.

— Madame Lavoine, dit Dumoulin, je me suis toujours demandé pourquoi vous n'aviez pas alerté les policiers à la suite des menaces de Marion Laennec proférées par courriel. Dans le fond, madame Lavoine, je crois que le désir de vengeance de la jeune Laennec vous servait bien. Selon l'une de vos voisines que nos enquêteurs ont rencontrée, Marion Laennec, en sueur et les yeux hagards, est allée à votre appartement après l'incendie, sans doute pour vous apprendre la mort du médecin.

Estelle Lavoine savait quelle sorte d'homme était Jonathan ; il privilégiait les mensonges, les excuses, l'argent et le sexe. Mais elle était toujours sous son joug. Comment punir le fier tyran qui régnait ? En profitant de la faiblesse de Marion Laennec, prête à tout pour se venger de lui. Par contre, la secrétaire n'avait pas prévu que Jonathan Raza retournerait à la clinique, le 22 juin, puisqu'elle l'attendait chez elle impatiemment. Elle n'avait pas prévu non plus son attaque cardiaque ni la mort accidentelle de l'homme dont elle était follement amoureuse depuis des années.

Estelle Lavoine éclata en sanglots. Elle confessa ses torts à haute voix et, après avoir tout déballé, signa des aveux à la fin d'un interrogatoire qui n'en finissait pas.

* * * * *

Au cours des heures qui suivirent, Dumoulin et Bertille apprirent de nouvelles informations. Comme un malheur ne vient jamais seul, Marion Laennec avait découvert qu'elle était enceinte de Tristan, quelques jours après son départ pour l'Europe. Moment de morne rancœur : que faire avec ce bébé ? Elle ne fit ni une ni deux et décida d'appeler Jonathan Raza, parce qu'elle voulait se débarrasser du fœtus. C'était trop pour elle. Trop d'émotions à fleur de peau, trop de responsabilités sans les avoir voulues, trop de choix à faire et personne pour l'accompagner. Elle ne pouvait pas mettre cet enfant au monde.

Marion Laennec avait insisté auprès de Jonathan Raza pour recourir à l'avortement. Il avait tout d'abord refusé, alors elle avait menacé de tout révéler : ses points faibles, son besoin de bien paraître, ses pratiques douteuses. Il avait cédé au chantage.

Après l'acte médical, en apprenant que le fœtus était féminin, elle s'en voulut. Elle faisait un lien avec son propre passé, quand son père l'avait rejetée sans même la connaître. Son père qui était parti sans laisser d'adresse, sans lui donner la moindre chance de se faire aimer. Tout cela parce qu'elle était une fille. Elle en voulut également à Raza, qui acceptait de supprimer des fœtus féminins pour faire plaisir à des hommes.

La douleur que Marion ressentit à la perte de son enfant fut immense, cruelle et insupportable. Dumoulin se rappelait les paroles de la Dre Tessier au sujet de l'état d'esprit de l'incendiaire : la tristesse, la solitude, la colère et l'anxiété pouvaient mener à une impulsivité et à une perte de contrôle.

L'avortement de Marion Laennec avait porté un coup mortel au médecin qui, sans s'en douter, avait opéré sa dernière sexo-sélection. Bien entendu, Estelle Lavoine avait été aux premières loges. Spectatrice attentive, elle connaissait tous ces rebondissements dignes d'une télésérie que l'équipe des enquêtes spécialisées n'avait certainement pas imaginés au début de l'affaire. Marion Laennec avait perdu sa lucidité et avait sombré dans un abîme épouvantable. Les enfants de la victime n'avaient rien à voir dans la mort de leur père. Ils avaient été de simples acteurs impuissants, les spectateurs d'une tragédie intime qui s'était produite loin d'eux.

* * * * *

Il était un peu passé 23 heures quand Dumoulin sortit du quartier général de police. La journée avait été longue. La semaine aussi.

Héloïse s'éveilla quand elle l'entendit garer la voiture dans l'entrée de garage. Elle se leva et alla à sa rencontre. D'un seul regard, elle sut que tout allait bien.

218

— Il faudrait savoir se contenter du simple fait d'être vivant, lui dit-il en souriant avec une curieuse expression, comme s'il s'agissait d'une pensée qu'il avait déjà chérie dans le passé.

— Oui, répondit-elle. C'est exactement ce que je me dis tous les jours.

Le vent s'était levé, la pluie se mit à tomber violemment avec bruit. On aurait dit une pluie tropicale qui allait tout nettoyer sur son passage. Dumoulin prit une douche, alla se coucher aux côtés de sa douce, remonta le drap de percale jusqu'au menton et dormit d'un sommeil de plomb.

* * * * *

Bertille frappa à la porte de Dumoulin, alors qu'il répondait à ses courriels. Elle lui proposa d'aller prendre une brioche au beurre, à la cafétéria, pour poursuivre leur conversation de la veille. Il la remercia et lui dit qu'il devait terminer ce qui l'occupait depuis une demi-heure.

Dix minutes plus tard, les deux enquêteurs étaient assis face à face. Bertille avait commandé un déjeuner gargantuesque. Dumoulin se contenta d'un espresso allongé. Les deux coéquipiers se regardèrent fixement sans dire un mot, alors qu'il y avait beaucoup de monde et une vive agitation autour d'eux. Retrouvailles, bavardages et embrassades. Une ambiance de récréation dans une école secondaire !

— Marion Laennec avait tout préparé, dit Bertille, en avalant une bouchée. Une sombre histoire de vengeance. Entre nous, c'est un mobile assez fréquent, pas du tout hors du commun. L'incendie était prémédité. Le meurtre, je ne le crois pas, même si Marion Laennec avait aperçu la voiture de la victime garée en face de la clinique.

— Je suis assez d'accord avec toi, mais je crois qu'elle en voulait tout de même à cet homme. D'un naturel manipulateur, elle a même voulu faire porter les soupçons sur la fille de Raza. Au fond, Juliette a été bien naïve. Elle était animée d'une réelle volonté de venir en aide à Marion Laennec.

L'examen du téléphone cellulaire de Juliette avait d'ailleurs confirmé son innocence et corroboré ses dires.

Tout en poursuivant leur conversation, Dumoulin tourna la tête vers deux collègues de la SIC qui le saluèrent en passant près de lui. Il répondit d'un signe de la main.

— On va porter des accusations contre elle, déclara le sergent-détective.

— C'est bien normal. À la fin d'une enquête, le méchant est toujours attrapé.

Dumoulin espérait qu'elle recevrait un châtiment amplement mérité, tout comme Estelle Lavoine, du reste. Elle pouvait être accusée d'entrave à la justice pour ses nombreuses omissions.

Le sergent-détective porta son attention vers un groupe d'employés qui parlaient fort, attablés dans le fond de la pièce. Il se leva en même temps que Bertille et la regarda se faufiler entre les tables. Souriante, elle faisait des signes de tête à des collègues pour les saluer. Lui se sentait isolé dans sa bulle et n'avait pas l'énergie pour les relations publiques. Il éprouvait un pressant besoin d'évasion.

CHAPITRE 13

Toucher le bonheur

Marion Laennec, la jeune femme de 21 ans accusée d'homicide à la suite d'un incendie criminel survenu dans une clinique de Montréal, devra subir une évaluation psychiatrique de 30 jours pour déterminer si elle est apte à subir son procès. L'ordonnance a été faite par le juge Jérôme Vallée de la Cour du Québec. Marion Laennec a été accusée après qu'un médecin, propriétaire d'une clinique, a trouvé la mort dans l'incendie qu'elle aurait allumé, le 22 juin dernier.

Dumoulin referma le journal. La balle n'était plus dans son camp. Lui, Bertille et les enquêteurs de la SIC avaient bien fait leur travail. Leur supérieur était satisfait des résultats de son équipe. Ils iraient sans doute gonfler les statistiques officielles des crimes résolus. On avait trouvé la coupable et porté des accusations contre elle.

Pour le reste, l'affaire suivrait le cours normal de la justice.

Bertille avait déjà pris la route du Maine pour aller rejoindre Hugo qui l'attendait à bras ouverts. Elle avait promis à son coéquipier d'arrêter dans les Cantons-de-l'Est, à son retour, pour lui présenter l'homme qu'elle lui cachait depuis longtemps.

L'avant-dernière semaine de septembre, Dumoulin déménagea ses pénates dans leur maison de Brome-Missisquoi. Au début de ses vacances, il dormit pendant deux jours d'affilée, tantôt dans la véranda, tantôt dans la chambre à coucher. C'était sa façon de marquer un temps d'arrêt.

Puis l'ours quitta enfin sa tanière par un temps gris et doux. Ragaillardi par l'air vif des montagnes, il avait retrouvé la force pour participer activement aux vendanges chez l'un des cousins d'Héloïse, propriétaire d'un superbe domaine viticole. Il se sentait animé d'un impatient désir de s'évader et de fréquenter d'autres lieux. Le travail de la terre le réconcilia avec la vie. Il retrouva son énergie vitale dans un moment de rare abandon.

Dumoulin eut la joie de faire une belle rencontre sur la route des vins, celle de Louis Orhon, œnologue averti et chroniqueur gastronomique à ses heures. Dans un environnement propice à la contemplation et à cent lieues de son milieu de travail affolant, il pensa en lui-même : « Dans mon métier, on voit surtout le côté obscur des gens. On en arrive à se méfier de tout le monde, à tout calculer et à manquer de spontanéité. »

Louis aimait conseiller les viticulteurs dans le choix des cépages, surveiller les fermentations en cave et effectuer des analyses. Expert qualifié, il habitait au Québec depuis onze ans et il n'avait aucun regret d'avoir quitté sa Bretagne natale. Installé à Dunham, dans une belle maison en pierres des champs entièrement restaurée, marié et père de deux fillettes, il adorait élaborer des vins et des produits du raisin.

— C'est vivant, et j'aime l'idée de faire un vin à partir d'un fruit qu'on récolte, grappe après grappe, en passant par la vinification, bien sûr, pour arriver à la bouteille qu'on débouche quelque part pour trinquer entre amis. Je m'implique dans tout le processus d'élaboration du vin. C'est moi qui l'élève, dit-il à Dumoulin, en philosophant avec lui par un bel après-midi lumineux, durant une courte pause bien méritée.

— Moi, c'est plutôt la mort que j'ai côtoyée récemment, répondit le sergent-détective. Et je dois dire qu'elle ne me manque pas. Pas du tout, d'ailleurs ! Je suis content de m'en éloigner, de prendre mes distances et de découvrir un monde envoûtant. Ici, c'est tellement beau ! C'est tellement différent de mon quotidien.

Le vignoble s'ouvrait sur des coteaux boisés et se profilait au-dessus de l'horizon baignant de soleil. Un vent léger caressait le visage de Dumoulin qui regardait au loin le paysage pittoresque de montagnes aux couleurs automnales. Le temps des récoltes s'échelonnait sur plusieurs semaines, occupait une bonne partie du jour et parfois même de la nuit. Dumoulin aimait l'intensité de la période des vendanges et il y voyait une ressemblance avec l'exercice de son propre métier dans lequel il s'investissait à fond.

Le raisin qu'il récoltait manuellement, avec quelques ouvriers agricoles et d'autres bénévoles comme lui, allait servir à la fabrication d'un vin effervescent. Aussitôt coupés, les fruits étaient déposés dans une remorque, puis acheminés par véhicule motorisé à la cave de vinification. Le vignoble grouillait de monde et d'action, car on procédait aussi aux vendanges mécaniques.

Le temps semblait s'être figé, équilibre parfait entre travaux manuels et proximité de la nature, dans une région bénie des Dieux. Dumoulin rentrait tard chez lui le soir, et se levait tôt, le lendemain matin pour reprendre son travail dans les vignes. Grand moment de détente salutaire, d'enchantement continuel sans aucune obligation de résultat envers qui que ce soit.

Il savourait chaque moment de sa liberté retrouvée. Un sourire flottait sur ses lèvres. Le travail de la vigne lui apportait le réconfort dont il avait besoin pour aller de l'avant. Panser ses plaies, apprendre à mieux vivre avec les souvenirs de Colombe et surtout, soigner sa belle relation avec la femme de sa vie.

Parfois Dumoulin exultait de joie en regardant la lumière veloutée qui planait au-dessus des feuilles jaune, orange, rouge, couleurs dont s'était parée la végétation, et la terre généreuse, bien préparée, gage d'un prochain produit de haute qualité. D'autant plus que Louis Orhon veillerait à élaborer des vins dignes de ce nom, à partir des raisins provenant de vignes dont les racines plongeaient sous quelques arpents de neige, pendant l'hiver. Selon l'œnologue, l'avenir des vins de la région devrait nécessairement passer par les mousseux. Dumoulin raffolait des bulles pétillantes et l'esprit qu'elles communiquaient dans une ambiance toujours réjouissante.

Mais en ce beau samedi, il profitait du site fabuleux, assis à la terrasse du vignoble en compagnie du propriétaire, un homme passionné par la viticulture et sa chère Héloïse. Ils dégustaient un verre de vin au soleil de midi, des petits oiseaux piaillaient doucement, des feuilles s'agitaient dans les grands arbres autour de la maison. Au loin, il aperçut Bertille et Hugo, son juge, qui venaient lui rendre visite à leur retour de la Nouvelle-Angleterre, comme elle le lui avait promis. Elle aussi paraissait dans une excellente forme. Le dernier week-end de vacances à la campagne serait génial !

L'heure du retour à la vie normale allait bientôt sonner. Dumoulin allait mener d'autres enquêtes, enchaîner des péripéties à la fois haletantes, émouvantes et insensées. Surtout, il se demandait quelle tournure prendrait l'enquête sur la famille Márquez. Est-ce que le sergent-détective Daviau y était impliqué d'une quelconque façon ? Ce serait assurément l'enquête la plus éprouvante à laquelle il assisterait, mais celle, aussi, qui lui apporterait peut-être enfin la paix.

Remerciements

Ce livre doit beaucoup à la générosité de plusieurs personnes, dont celle de Bruno Blouin. Ses explications claires et précises sur la synergologie ont permis d'apporter plus d'authenticité aux habiletés particulières de la sergente-détective Bertille Defoy.

Merci à Sylvain Roy, pompier et amateur de vin, comme Dumoulin. Il a su me donner, dès le début, l'information qui m'était essentielle pour parler d'un grave incendie à Montréal.

Que de passion dans les propos échangés avec Francine Leblanc, amoureuse de la langue française ! Elle n'a jamais refusé une relecture de mes manuscrits, et ce, depuis mes débuts.

Des remerciements à Fabienne Pinet, grande lectrice et coach naturelle, qui aide ses amies dans leurs projets, qu'ils soient littéraires ou autres.

À Line Beauregard qui m'a souvent influencée dans le choix des mots et des limites à établir pour certains aspects psychologiques de mes personnages. Merci infiniment.

Je ne saurais passer sous silence les recommandations pertinentes de François Bérard, criminologue et grand lecteur depuis ses premiers Bob Morane, il y a très longtemps, jusqu'à son deuxième Dumoulin.

Et à vous, chers lecteurs, merci de me lire. Sachez qu'une troisième enquête de Dumoulin est en cours d'écriture.

Table des matières

MARQUIS

Québec, Canada

Achevé d'imprimer au Canada.